少儿文学名著多功能现代版

三言二拍观止

 二 拍

SAN YAN ER PAI GUAN ZHI
ZHI ER PAI

文 字:张亚维　黄玉杰

插 图:北京昆立得图文设计有限公司

北方妇女儿童出版社

少儿文学名著多功能现代版

三 言 二 拍 观 止

丛书编文: 张亚维　黄玉杰
责任编辑: 师晓晖
封面设计: 北京昆立得图文设计有限公司
出　版　者: 北方妇女儿童出版社
地　　　址: 长春市人民大街 124 号
策划制作: 北京昆立得图文设计有限公司
印　　　刷: 西安大兴彩色印刷厂
开　　　本: 32 开
印　　　张: 8
版　　　次: 第 1 次
印　　　次: 第 1 次
出版日期: 2002 年 5 月
书　　　号: ISBN-7-5385-2039-2/I.398
本册定价: 19.80 元

写给父亲母亲

　　如果某一天，你的孩子突然问你："什么是知音？""什么是感恩图报？""什么是因果报应？""什么是白头偕老？"那就是说，他已经悄悄走到传统文化的殿堂门口来了。

　　握在您手中的这本书，是中国古典文学作品中反映世景人情、民俗文化的精品。在孩子眼前呈现了一个与电脑游戏和卡通片截然不同的世界，讲述了许多真正属于中国人的故事，告诉他们俞伯牙摔琴是因为知音已死，一个矮小的书生怎样凭借两只桃子杀掉三名猛士，区区十五贯铜钱左右了几位平常百姓的命运，使他们身陷牢狱，甚至丧失生命。而一只懂得感恩图报的老虎在多年后终于报答了自己的恩人。

　　这里的每一篇故事都讲述着中国人向往的友情和爱，中国式的智慧和权谋，中国人崇尚的信义、忠诚、勇敢、孝道。这是中国的孩子需要知道的，因为他生长的环境正是在这种文化精神滋养下演变至今，

1

了解了这个文化传统，他才能真正理解身边的人和生活。

在这个电子媒介雄霸天下的时代，孩子们习惯于操纵着鼠标和键盘，在虚拟的游戏空间里拼杀驰骋，或守着荧屏与那些人性单调、形体干瘪的卡通人物为伴，他们缩在屋子的一角，对外面真实而繁复的人世感到隔膜和麻木。

也许，他们应该打开这本书，触摸一下自己周围血肉丰满、耐人寻味的现实世界。他们应该学着了解人类生活的过去和现在，了解自己生存的土壤，这样，才会发展成为一个丰富而完整的人。

既然是生长在中国文化土壤中的一棵小树，就必然要吸取这片土地的营养，也只有了解这方水土的具体情况并适应它，小树才会有树干挺拔、枝叶茂盛的那一天。

目 录

倒运汉出海遇好运

明朝成化年间，苏州府长洲县有一个叫文若虚的人。他天生聪明，学什么会什么，琴棋书画、吹拉弹唱，样样精通。小时候，有人给他看相，说他将来必定大富大贵。文若虚自恃才高命好，不肯踏实做事，把祖上留下的遗产**挥霍**一空。眼看要米干面净，才想起来要做点生意，赚点钱补贴家用。

> **挥霍（huò）**：任意花钱或是形容轻捷、洒脱。
> **手笔**：亲手做的文章、写的字、画的画。也可指办事用钱气派。

一天，他听人说北京扇子好卖，就买来一堆扇子。选上等的好扇，请名画家在上面题字作画，使这些扇子身价倍增。又在中等折扇上模仿名家**手笔**涂抹一番，也能以假乱真。下等的折扇，他打算将就着卖几个钱。一切准备停当，他把折扇装箱，运到北京。不料北京那年自立夏以来，天天下雨，一点都不热。直到立秋，天气才晴朗起来。有些爱装点门面的人便来买文若虚的扇子。他开箱一看，不由叫苦连天。原来因为阴雨连

如此会做生意，哈佛大学的毕业生也不过如此。

1

绵，扇子上的墨迹发潮，将纸粘在一起，已揭不开了。用力一揭，扇子破了，字画也毁了，已经**一文不值**。那些没字的白扇，也卖不了多少钱。文若虚这一次，可是亏大了。很奇怪，他接连又做了几笔生意，真是做什么赔什么。人们便给他起了个外号，叫"倒运汉"。

没几年，文若虚就把**家当**败得干干净净，连老婆也没娶上。好在他能说会道，嘴皮子灵活，朋友们都很喜欢他，觉得他有趣，有困难时也愿意帮助他。

> 一文不值：不值一文钱，指没有价值。
> 家当：家庭财产。

一天，有几个经常出海贩货的朋友备好货，又准备出海。文若虚得知后，心想，反正在家也没事做，不如跟他们航海去。看看海外风光，也算没白活一辈子。打定了主意，便向领头的张大说了。张大

是个爽快人，一听就说："好啊！我们出海，整天呆在船上，最怕寂寞。有你在船上说说笑笑，大家肯定欢迎。只是我们每个人都有货物，你什么都不带，白白跑一趟，太可惜了。这样吧，我去

和大家商量商量，多少凑点钱给你，也好将就着办点货。"文若虚当然**千恩万谢**。

不想一会儿，张大气鼓鼓地回来了，说："这些人真小气，说你要去，都说好；可一提借钱给你，就都不吱声了。我和两个要好的兄弟凑了一两银子，你拿去买些路上吃的东西吧。货恐怕是办不成了。"

文若虚感谢不尽，接过银子，心想："这么一点银子，能买什么呢？"这时，他看见满街摆着的洞庭红橘。这红橘刚熟时有点酸，但熟透以后

乐观主义者总是被人喜欢，千万不要变成三棒打不出屁来的人。

味道甜美，且颜色红亮，十分招人喜欢。文若虚想："一两银子能买百余斤红橘。运上船，一可以解渴，二可以送些给同船的人吃，也算是对大家的答谢。"于是，他用一两银子买了红橘，装进**竹篓**，运到船上。大家都拍手笑着说："文先生的宝货来了！"文若虚羞得满脸通红，再也不敢提这事。

> 千恩万谢：一次又一次地表示感谢。
> 竹篓（lǒu）：竹子编的盛东西的器具。

船行了三五天，来到一个地方。从船上望去，人烟稠密，屋宇**巍峨**，好像是哪个国家的首都。上岸一打听，得知是吉零国。中国的货物到了这里，可以卖三倍的价钱。从这儿置了货带回中国，也是一样。大家都是生意人，上岸各自发货去了。只有文若虚没事，留在船上。

正闷坐着，他忽然想起那篓洞庭红橘，不知会不会坏了？于是叫来水手，从舱底翻出红橘。揭开篓盖，上面的一层都好好的。他还不放心，**索性**将一篓红橘全倒在船板上，仔细查看。那一

稀者为贵，这就是做生意的准则，千万别忘记啦！

百来斤红橘铺满船板，远远望去，红艳艳的，像万点火光，十分好看。岸上的行人被这一片红光吸引，聚拢过来，好奇地打听这是什么。文若虚听不懂，自顾自地剥下一瓣橘子，塞进嘴里。岸上的人惊叫起来："这东西原来可以吃。"便问多少钱一个，水手们起哄说："一个银钱一只。"很多人都摸出钱来买，一下子就卖掉三分之二。文若

> **巍峨**（wēi é）：形容山或建筑物高大雄伟。
> **索性**：直截了当，干脆。

虚看剩下的不多了，打算留下自己吃。不想一个人用一百五十多个银钱将剩下的全包了。文若虚一共卖了一千多个银钱。

大家回到船上，知道了刚才的事，都替他高兴。张大拍着手说："人人都叫你'倒运汉'，不想一出海，便转了运。"有人建议他买些货物带回去，文若虚说："我是一朝被蛇咬，十年怕草绳。说到办货，我就害怕。还是踏踏实实把这点钱带回家吧！"

乌云蔽(bì)日：黑色的云遮盖了天，天色很阴沉的意思。
渺(miǎo)小：微小。

什么时候我改名叫"幸运汉"呢？！

大家办完事儿，启航返回。走了没几天，忽然**乌云蔽日**，黑浪滔天，船随着风势，顺水漂去，来到一个孤岛边。众人都无心上岸。文若虚闲着无聊，便一个人上了岛。他极力攀登，一直登到岛的最高处。放眼望去，四海茫茫，自己就如同一片树叶般**渺小**，不禁感慨万千。忽然，发现远处草丛里有一个东西。走近一看，原来是一个乌龟壳，足有床那么大。文若虚大为惊奇："天下还有这么大的龟！带回去让大家开开眼！"船上人见文若虚背个大龟壳回来，都笑话他："砸碎了卖给医生，也能得点钱。"文若虚也不在乎大家取笑。弄了些水，把大龟壳里里外外冲洗得干干净净。

第二天，风停了，继续开船，没有几天就到了福建。大家一齐上岸，来到一个**波斯**人开的旅店投宿。

这家伙是天生的生意人，如果早早经营，恐怕半个地球都是他的了！

这店的主人名叫玛宝哈，专门做珠宝生意，有很多钱。他和大家都很熟悉，只有文若虚是初次见面。酒席摆出来后，玛宝哈让大家拿出各自的货单，以便定座位。原来这里有个规矩，货物价值最高的坐首席，**依次类推**，文若虚只好坐了末席。

第二天一大早，玛宝哈到船上验货付款。一眼就看见了那个大乌龟壳，吃惊地问："这是哪位客人的宝货？昨天怎么没有人说起？"大家都笑着说："这是文先生的。"玛宝哈看了文若虚一眼，神情严肃地埋怨大家："我和你们交

波斯：指阿拉伯。
依次类推：按同样的次序排列。

6

往多年，你们怎么能这样捉弄我？让我得罪了贵客。"说着，一把拉住文若虚，要去店中向他**赔罪**，大家也都跟了来。店主人吩咐备下酒席，然后端起酒杯，向着文若虚深深地做了一个**揖**，说："昨天多有得罪，请千万原谅！"便请文若虚坐了首位。

酒过三杯，玛宝哈开口问，刚才的宝贝肯不肯卖？文若虚是个聪明人，知道其中必有原因，便答道："只要有好价钱，当然卖。"玛宝哈便问他要多少钱。张大忙向文若虚使个眼色，代他回答："这是文先生珍爱之物，没有大价钱不卖，一

> 赔罪：得罪了人，向人道歉。
> 揖：拱手行礼。
> 目瞪口呆：形容受惊后愣住的样子。

万两银子怎么样？"文若虚吃了一惊，玛宝哈却哈哈大笑："你们这是不想卖，哄我呢吧。这样的宝贝，怎能才值一万？"大家听了，都惊得**目瞪口呆**，扯文若虚去商议："这东西看来真是个宝贝，文先生不如来个狮子大张口。"文若虚硬

着头皮，要五万两。玛宝哈仍说是取笑他。张大只得讲，这是文若虚路上捡的东西，也不知价值，能卖五万两，也就知足了。玛宝哈于是请张大做保人，立下字据，签字画押。

文若虚像做梦一样成了巨富。因钱太多，携 鼍(tuó)：扬子鳄。 带不便，玛宝哈建议文若虚留在当地做生意，将一个绸缎铺和百余间房子折价五千两银子给他，其余的四万五千两银子慢慢搬过去。文若虚单身一人，无牵无挂，便同意了。

一切办妥，大家好奇地问这乌龟壳究竟是个什么宝贝？玛宝哈说："这是鼍龙长到一万岁时蜕下的壳，是千载难逢、可遇而不可求的宝贝。此壳有二十四根肋骨，每肋中间节内有一颗夜明珠，是无价之宝。光是一颗珠子，拿回波斯国去，就值五万两银子呢。"众人听了，嘴都张得老大，后悔不迭。文若虚就此留在了福建。临别时，他拿出钱

你们现在知道什么叫无价之宝了吧！

来答谢了大家。后来,他成了当地一名富商。

学点英文

聪 明:clever　　　遗 产:heritage　　　画 家:painter

扇 子:fan　　　　朋 友:friend　　　　寂 寞:loneliness

橘 子:orange　　　首 都:capital　　　价 钱:price

惊 奇:surprise

读读想想

1. 文若虚为什么被大家叫做"倒运汉"?

2. 文若虚用一两银子买了什么?

3. 文若虚的红橘一共卖了多少钱?

4. 那个乌龟壳为什么值钱?

刘东山夸技遇高手

明朝嘉靖年间，河间府交河县有一个人，名叫刘东山，在北京巡捕衙门里当一个缉捕军校的头儿。这人有一身好本事，弓马**娴熟**，箭无虚发。随你多么凶狠的强盗，他总能手到擒来。因此，手头慢慢也有了些积蓄。干到三十多岁，他对这一行感到厌倦，便辞职回家，想做点生意。

刘东山干的相当于今天的刑警队长一职。

这年年底，刘东山赶着十几头驴马到北京贩卖，约卖了一百多两银子。交易完了，他来到宣武门骡马店住宿。吃饭时，遇到同乡张二郎。二郎问他到哪里去。刘东山说卖驴马赚了钱，明天就回家。二郎说："最近路上不好走，良乡一带盗贼出没，白天抢劫。老兄带了这么多钱，孤身一人，只怕不安全。"刘东山听罢，哈哈大笑，做了一个拉弓的姿势，说："我二十多年还没碰到过对手，怕什么盗贼！"店里人听他高声呼喊，都回头来看，也有问他姓名的，说："**久仰**，久

> **娴**(xián)**熟：**熟练。
> **久仰：**客套话，仰慕已久(初次见面时说)。

仰！"刘东山觉得自己有些**失态**，回去睡觉了。

第二天五更时分，刘东山把银子放进裹肚里，扎在腰间，肩上挂一张弓，衣外挎一把刀，骑一头高大的骡子，向城外奔去。走了三四十里，来到良乡，只见后面有一个人骑马赶来。遇到东山，便勒住马，放慢了速度。东山抬头一看，是一位二十岁左右的美少年。

> 失态：态度举止不合乎应有的礼仪。
>
> 偶(ǒu)然：按理说不应该发生的事或是指偶尔有时候。

少年向刘东山一拱手，说："**偶然**相逢，请问尊姓大名？"刘东山说了自己的名字。少年说："久闻刘大哥大名，如雷贯耳，今日有幸相遇，请问您往何处去？"东山说："回家乡交河县去。"少年做出欣喜的样子，说："正好，正好，我家住临淄，做生意赚了点钱，

如果怕人抢，看谁都像贼。

现在要回去娶妻，正好与大哥作伴。同行到河间府城，然后分道。"刘东山见他谈吐有礼，身材小巧，相貌清秀，估计不是坏人。而且一路有个伴儿，不致寂寞，便高兴地答应了。这天晚上，

两人一同到了旅店，一同吃饭休息，像兄弟一样。

第二天，两人并排赶路。少年在马上问道："早听说大哥最善捕贼，不知一共捕了多少，碰到过对手没有？"刘东山正想**炫耀**一下自己的本事，便夸口道："我生平凭两只手、一张弓，捉到的绿林中人不计其数，没有一个对手。那些鼠辈，真是不值一提！"少年听了，微微冷笑，说："原来如此！请借刘大哥宝弓一

> 炫耀(xuàn yào):照耀或是夸耀。
> 惶(huáng)恐:惊惶害怕。
> 无地自容:没有地方躲藏,形容十分羞惭。

看。"东山递过去，少年左手拿稳，右手轻轻一拽，就是一个满弓，连拉连满，好像在玩一条软布条。刘东山大惊失色，也借少年的弓看。这弓大约有二十斤重，刘东山用了吃奶的劲儿，挣得面红耳赤，也没有拉开。东山**惶恐**得**无地自容**，说："这弓好

天外有天,人上有人,自鸣得意时,小心被人耻笑！

硬！"便向少年敬佩地说："老弟真是神力，我不敢比！"少年微笑一下，说："这点力气，算

12

得了什么神，只是大哥的弓太软了。"晚上，二人又住在一起，第二天又同行。快到太阳落山时，那少年突然一拍马，马飞一样向前跑了，**瞬**间没了踪影。

人在外，不要话太多，祸事只因强出头。

刘东山见少年不辞而别，有些心慌，心里像十五只吊桶打水，七上八下。没办法，也只好慢慢往前走。走了一二十里路，老远看见少年骑在马上，在百步之外，将弓拉得如满月，对着刘东山喊："老早听说老兄天下无敌，今天请你听一听这箭风。"话没说完，嗖的一声，箭从东山耳边飞过。少年又拉满弓，直对刘东

瞬(shùn)间：转眼之间。

山的脸，喝道："你也是聪明人，腰里的钱快留下，免得我动手。"刘东山知道自己不是少年的对手。慌忙解下腰间银袋，双手捧着，双膝着地，爬行到少年马前，只求饶命。少年在马上接了银子，大喝一声："要你性命干什么，快走快走，我还有事呢。"掉转马头，黄尘

滚滚，立刻不见影子。

刘东山发了半晌呆，忽然**捶胸顿足**起来。想想钱丢了是小事，可是一世英名，就这样让一个少年给毁了，以后可怎么做人。便**垂头丧气**，有一步没一步地回到家中。他对妻子说了路上的遭遇。两人商量着，弄点本钱在村外开个酒铺，以后卖酒谋生，再也不舞弓弄箭了。但绝不向外人提起此事。

三年过去了。这年冬天，阴云密布，大雪封门，夫妻二人正在店中卖酒，只见门前来了一伙骑马的客人，共有十一个。个个身着短打扮，腰挂弓矢

刀剑。其中一位看上去只有十五六岁，身长八尺，端坐在马上，对其他人说："我到对门去住。"那十人齐声答应："我们在这儿歇一下，便过来服侍。"

捶（chuí）胸顿足：形容非常焦急、懊丧或极度悲痛的样子。
垂头丧气：形容情绪低落，失望懊丧的神情。

十人进店，主人端上鸡、牛、羊肉，众人狼吞虎咽，片刻之间，吃了个精光。算算总共吃了六七十

斤肉，六七坛酒。东山一个个打量那些人，只见其中一个毡帽戴得很低，有些面熟。正纳闷着，那人

> 魂不附体：形容恐惧万分。
> 别来无恙：从分手到现在没有什么损失或没有发生意外。

猛一抬头，刘东山顿时吓得**魂不附体**，心里暗暗叫苦，原来正是那次同行的少年。只见那少年把帽子一掀，说道："东山**别来无恙**吧？以前承蒙带我同行，至今想念。"刘东山吓得面如土色，"扑通"一声跪在地上。叩头道："希望好汉饶命！"少年赶紧站起来，跪下去扶起他，挽着他的手说："快不要这样。那年我们兄弟在酒店里听你自夸天下无敌，愤愤不平，所以叫小弟在途中捉弄你一番，上次劫你的银子，今天十倍奉还！"说完，取出一千两银子放在桌上。刘东山像在做梦，不敢接受。少年拍手大笑道："大丈夫岂会欺人？你也是条好汉，怎么这样胆怯气虚！难道我们

记住哟！
英雄也怕不怕死的！

15

兄弟真想要你的银子不成？快收起来吧！"刘东山这才千恩万谢地收了。

刘东山留他们在酒铺过夜。大家谢过他的好意，要去请示对门的十八兄。刘东山也跟了过去。只见这十人对那最小的少年态度十分恭敬。那少年面色**庄重**，嘱咐道："这样也好。只是你们酒足饭饱，不要贪睡，以免**辜负**了主人的好心。如果有胡来的，我这两把刀又有血吃了。"十人齐声答应知道。

> 庄重：(言语、举止)不随便，不轻浮。
> 辜(gū)负：对不住(别人的好意、期望或帮助)。

这些人在刘东山的店中住了三天，每顿饭都将酒肉恭恭敬敬地送给那位十八兄。刘东山忍不住去问同行过的少年。那少年与其他人只是哈哈大笑，并不回答。过了一会儿，十八兄一声招呼，众人一齐上马，绝尘而去。

刘东山到底没弄明白这伙人的身份和来历，怕生出事来，就

这简直是一群侠士嘛！

和妻子搬到城里另做生意去了。从此以后，再也不敢再说一句**夸耀**自己武艺的话，安安分分地过起日子来。

> 夸耀：向别人显示。

学点英文

积蓄：saving   厌倦：tired   旅店：inn

姿势：pose   兄弟：brother   少年：youngster

妻子：wife   大笑：laugh   夸耀：glory

服侍：attend

读读想想

1. 刘东山最初是干什么的？

2. 刘东山在回家的路上遇到了什么人？

3. 少年为什么要捉弄刘东山？

4. 这个故事告诉我们一个什么道理？

陈秀才巧计赚原房

在南京城繁华的秦淮河畔，住着一个有名的有钱人陈秀才。妻子马氏，非常**贤惠**，治家勤俭。但这陈秀才因为家财万贯，又好结交朋友，所以不知道珍惜，整天混迹在酒楼妓院。这样七八年下来，将祖上的家当花了个干净。马氏经常苦口婆心地劝他，他总是不听。

> **贤惠:**(妇女)心地善良,通情达理,对人和蔼。
> **撺掇(cuān duō):**从旁鼓动人做某事。
> **文契(qì):**买卖房地产等的契约。

这样又过了半年光景，手头真的没有钱花了。马氏看在眼里，心想："索性让他花完了，就也到了头。"所以也不劝他了。陈秀才花钱花惯了，手头没钱，便急得团团转。有人就**撺掇**他写了一纸**文契**，向开当铺的徽州卫朝奉借三百两银子。那卫朝奉爱财如命，知道陈秀才名气大，不怕他不还，便写明三分利息，将钱给了他。

这陈秀才有

死水怕勺舀,天晴防下雨!

两处宅院：一所庄房，在湖对面；一所住宅，自己住着。卫朝奉看上了陈秀才的庄房，心里早有了盘算。所以他并不催着陈秀才还钱。到了三年，本利正好对半了，卫朝奉派人来讨还本利，一共六百两银子。陈秀才这时**山穷水尽**，哪来钱还！

躲着不见，卫朝奉就派人天天坐在他家等。陈秀才没有办法，只好对借钱时的保人说，愿意将庄房卖给卫朝奉。那庄房修建时花了一千二百多两银子，陈秀才也

不多要，只要一千两，让卫朝奉再找四百两，就将房子给他。卫朝奉听了，却说："我看过那所房子，根本不值一千两，六百两我都多给他了。"保人劝说卫朝奉多少再给陈秀才一些。卫朝奉吹胡子瞪眼，一口咬定六百两，多一个都不给。

陈秀才听说，又急又气，恨自己还不出钱来，**任人宰割**。再三央求保人又去求情。卫朝奉根本不予理睬，派了几个人坐在陈家讨钱，再不提押房子的事。

> 山穷水尽：比喻陷入绝境。
> 任人宰割：任凭别人侵略、压迫、剥削。

陈秀才一肚皮的气没处出，拍桌子打板凳，长吁短叹。马氏看了，故意问他为什么不出去玩乐，而在家里发愁。陈秀才说："娘子不要再取笑我了。当初我不听你～～的话，把家当挥霍一空。～～现在卫朝奉要将庄房折～价六百两拿走，钱又还不上，他天天派人坐在家里讨，可怎么办呢？"马氏说："你当初胡乱花钱时，认为家里的钱多得像不断的流水。现在造成这样的局面，也只好把房子给他了。"陈秀才心里烦闷，有苦难言。

> 忍无可忍:忍到不能再忍的地步,忍不下去了。
> 契(qì)约:证明出卖、抵押、租赁等关系的文书。

第二天一大早，卫朝奉派来讨钱的人就来了。陈秀才**忍无可忍**，就写了**契约**，将庄房折价六百两，卖给卫朝奉。遂了他的心愿。

自从卖掉庄房之后，陈秀才心里十分悔恨，终日愁眉不展，难以安眠，经常咬牙切齿地说："我要得了志，一定得报复他。"马氏见

人有志气天相助，
人若无志狗也欺。

他这样，便说："你不怨自己，反怨别人。别人有了钱，千方百计谋些营生，谁像你花钱如流水，却一件正事都不办。现在平白地将那样好的产业贱卖，难道是别人求着你这样做的吗？"陈秀

浪子回头金不换！

才懊恼地说："事到如今，我悔得肠子都青了，可又能怎样呢！"马氏说："人能悔悟，也是非常不容易的。有句话说'败子若收心，犹如鬼变人'。只怕你

有了钱又会犯老毛病！"陈秀才叹了口气，说："娘子不明白我的心思。人非草木，孰能无情。想当年我不知生活的艰辛，钱来得太容易，整天花天酒地，耗尽了家产。如今看够了**世态炎凉**，受人冷落，怎么可能不悔改呢？"马氏说："这样说来，你还有点志气。我想你是'不到乌江不死心'，现在到了乌江，心是彻底死了。我问你，如果现在有了银子，你要做些什么？"陈秀才说："有了银子，肯定要先买回庄房，出了这口气。

> 世态炎凉：有钱有势时，人就巴结；无钱无势时，人就冷淡。

然后开个小铺子或置点田地，贴补家用。好好读书，终有一天，会**功成名就**。算算有个一千两银子，也就够了。"说完，拍了一掌桌子，长叹一声。

马氏却微微一笑，说："如果你真能说到做到，一千两银子有什么难？"

> **功成名就**：功业建立了，名声也有了。
> **赎**（shú）：用钱或东西把抵押品换回来。
> **改过自新**：改正过失或错误，重新做人。

陈秀才见妻子这样说，知道必有原因，忙问钱从哪里来。马氏取了把钥匙，开了厢房，在一条黑弄里找出一个皮匣，对陈秀才说："这些银子，你拿去**赎房**，剩下的还放回来。"陈秀才打开一看，约有一千余两白花花的银子。不觉掉下泪来，说道："我不争气，将家产败尽，亏得贤妻苦熬硬省，存了这么多银子，我如果不**改过自新**，恢复旧业，就不是男子汉！"

第二天，陈秀才便让人请了原来的保人来，要向卫朝奉赎回原房。卫朝奉占了那么大一个便宜，当然不肯退还。就说自己已在院中添造了许多房屋，又种了很多花木。如果要赎，

多亏有个贤惠的妻子。

就得一千两银子。陈秀才去原房一看，哪里添了什么房屋，都是旧日的样子，只不过补了几块地板，修了几根栏杆。

陈秀才便将六百两银子交给保人。保人拿去，卫朝奉不肯收。再三说了，才暂时收下，却不退屋。过了几天，陈秀才派人去催。卫朝奉却说："一定得将修理改造房屋的银子给我，否则坚决不搬。"

陈秀才愤恨之极，心想：当初受他的气，还没有发泄，今天他又来欺负人，这恨怎样才能消！当时正是十月中旬天气，月明如画，陈秀才在湖畔边走边想。只见秦淮河里漂过来一具死尸，是从扬子江冲下来的。陈秀才**灵机一动**，计上心来，忙把家童陈禄叫了来，如此这般地对他耳语一番。陈禄为人忠诚，是陈秀才的**亲信**，早就想替主人出这口恶气。

灵机一动：灵巧的心思忽然发挥作用。
亲信：亲近而信任，或是亲近而信任的人。

第二天，陈禄换了一身干净衣衫，请人介绍

他去卫朝奉家。卫朝奉见他长得机灵，便收留了他，让他先做些杂事。陈禄表现得很勤快。

过了一个多月，卫朝奉想派陈禄去买柴，却怎么也找不着他的人。卫朝奉反正在陈禄身上没花什么本钱，也就不再寻找。

投靠：前去依靠别人生活。 谁知陈家的几个仆人找上门来，说："我们家有个叫陈禄的，一个月前逃走了。听说**投靠**了你家。快些把人交出来，我们家主人准备告官呢。"卫朝奉说："一个月前是来了一个，我也不知是你家的人。可他前天夜里逃走了。现在的确不在我这里。"那几个人吵嚷起来，说："既然来了你这里，哪有又逃走的道理？一定是你把人藏起来了，我们得搜一搜。"卫朝奉便让他们搜，提前说明，如果搜不出，可决不放过。

陈家仆人一拥而入，四处搜寻，除了老鼠洞，其余地方都搜到了。卫朝奉看得生气，正要发火，那边却有人喊道："找到了！"卫朝奉不知是怎么回事，过去一看，竟翻出一条人腿来。

真恐怖，一条穿着裤子的腿！

顿时惊得瞠目结舌。陈家仆人**异口同声**地说："一定是你把我们家的人杀了，埋在这里。快请我们家相公来，到官府里告你。"

陈秀才怒气冲冲地来了，大发雷霆，喊着："人命关天，快点去官府告他！"卫朝奉吓得浑身发抖，拼命拦

以恶报恶，也是不应该的！

住陈秀才说："我的爷，我真的没杀人呀！"陈秀才说："放屁，那这人腿是哪里来的？你还是对官老爷**申辩**去吧！"卫朝奉求告说："慢慢商量，任凭你怎么处置，

不要去见官吧！"陈秀才说："当初图我产业的是你；今天占着我房子不还的也是你；现在收留、杀害我家仆人的还是你，正好**公报私仇**，决不能饶你！"卫朝奉吓得面如土色，连连告饶，情愿退还庄房。陈秀才说："你为什么骗人说你添造了新屋？现在，将三百两利息还我，让我修理庄房，并写明字据，我们便两清。把这条腿烧掉完事；否则，决不轻饶你。"卫朝奉这时有冤无处申，只能

异口同声:形容很多人说同样的话。
申辩:申述理由,加以辩解。
公报私仇:借公事来报个人的仇。

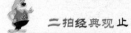

照办,连夜搬家。

　　陈秀才这才消了多年的闷气。原来他看见那具死尸,就叫陈禄潜入卫朝奉家,找机会埋下人腿,然后回到陈家。又派人去寻,翻出人腿,故意说要告官,卫朝奉当然害怕。

忍气吞声:形容受了气而强自忍耐,不说什么话。

　　以后卫朝奉遇见过陈禄,知道自己中了计。但房契已还,又到底不知人腿来历,所以只能**忍气吞声**,自认倒霉。

学点英文

珍惜:treasure　　院子:yard　　悔恨:regret

房子:house　　容易:easy　　困难:difficult

钥匙:key　　　十月:october　仆人:servant

主人:master

读读想想

1.陈秀才为什么把房子卖了?

2.马氏从哪里找出一千两银子?

3.卫朝奉为什么不愿意还房?

4.陈秀才后来怎样设计要回了房子?

包龙图智赚合同文

宋朝的时候，汴梁城西关外住着兄弟二人。哥哥刘天祥，娶妻杨氏，带来一个前夫生的女儿。弟弟刘天瑞，娶妻张氏，生了一个儿子叫刘安住。

> 妯娌（zhóu lǐ）：哥哥的妻子和弟弟的妻子的合称。
> 和睦（mù）：相处融洽友爱。

本地有个李社长，有个女儿叫李定奴，和刘安住同岁。两家人指腹为婚，定奴从小就许给了刘安住。天祥的妻子杨氏很不贤惠，一心想自己女儿长大后招个女婿，好霸占刘家财产。便把安住看做眼中钉、肉中刺，**妯娌**之间因此事非不断。多亏天祥兄弟俩**和睦**，所以一家六口生活在一起，还没有太大矛盾。

这年大旱，颗粒无收。官府发下文书，让村民各自出外逃荒，自谋生路。天祥与兄弟商量着要出去，天瑞说："哥哥年纪大了，行动不便。还是我带着妻儿外出吧。"天祥答应了。于是把李社长叫来，让他做个见证，把家里的田地房屋财产登记在两份合同

指腹为婚，就是指孩子还在两个妈妈的肚子里，就已经为他们俩定好的婚约，除非生出来的都是男生或都是女生。

文书上，兄弟二人各自画押，每个人拿一份。怕出去时间长了发生意外，以这文书作为凭证。天瑞夫妇收拾行李，带着儿子辞别兄嫂出门，兄弟二人泪流不止。唯有杨氏早就盼着这一天，心里暗自高兴。

天瑞带着妻儿一路要饭，来到山西潞州。那里适逢丰年，日子很好过。夫妇二人就租了一个有钱人家的房子，住了下来。房东叫张秉彝，与妻

真是天有不测风云，人有旦夕祸福。

子郭氏二人**乐善好施**，仗义疏财，只可惜膝下没有儿女。他们见天瑞夫妇和气，便经常**接济**他们。又见三岁的刘安住眉清目秀，聪明伶俐，心里十分喜欢，一心要过继刘安住做儿子，便托人向天瑞夫妇说了，天瑞夫妇当然同意。张员外便选了个好日子，收刘安住为子，改名张安住，将天瑞夫妇认作亲戚。从此，天瑞一家人衣食无忧。

> **乐善好施**：爱做好事，喜欢施舍。
> **接济**：在物质上援助。

谁知好景不长，不到半年，天瑞夫妇染上传

染病，双双去世。天瑞临终把安住托付给张员外，并且将自己与哥哥订立的合同文书交给他，希望安住长大后，能将他们夫妇二人的**骨殖**送回祖坟安葬。

从此，张员外像对待亲生儿子一样抚养安住，送他到学堂念书。安住天资**聪颖**，十多岁时，便通晓五经子史，而且很孝顺父母。张员外把他视如珍宝。每年清明，员外夫妇都要带他上坟，但并不说明缘故。安住十八岁那年，张员外夫妇又带他上坟，安住不禁问道："爹爹年年叫我拜这坟墓，不知里面安葬的是什么人？"张秉彝叹了口气，说明了他的身世。安住听了，哭倒在地，叩拜了父母的坟冢，又连连拜谢养父母。便决定实现父亲的遗愿，将他们的骨殖送回家乡。张员外夫妇不好阻拦，只得将合

> 骨殖(shi)：尸骨。
> 聪颖(yǐng)：聪明。

骨殖，就是骨灰。把骨灰送回家乡，称为叶落归根。

同文书给他带上，送他上路。

安住带好文书，起出父母遗骨，一路急行，来到汴梁西关，找到刘家门口。只见一个老婆婆站在门前，安住上前施礼问道："烦请老妈妈进

去招呼一声，我是刘天瑞的儿子刘安住。现在来拜认伯父、伯母。"那老婆婆一听这话，脸色就变了，问安住："你父母现在哪里？你说你是刘安住，就得拿出合同文书。否则，随便什么人都能这么说，我怎知真假？"刘安住说："我父母十五

年前已经去世，亏得义父将我**抚养**成人，文书就在我行李里。"婆子说："既然有文书，就是真的。我就是你的伯母，你把文书先给我，等我进去跟你伯父通报一声，就接你进去。"安住便把文书递给了她。

杨氏进去后，安住等了老半天也不见她出来。原来杨氏女儿已经招了个女婿，她一心想霸占刘家家产，就怕天瑞夫妇回来。现在看到天瑞夫妇已经去世，安住**孤身**一个回来，就将合同文书骗到手中，偷偷藏起来。反正天祥也不认识安住，她暗自得意，认为**天衣无缝**。

安住在门口苦等，正疑惑着，对面走来一个

抚养：养活。
孤身：孤单一人。
天衣无缝：比喻事物没有一点破绽。

老人，问道："小伙子，你在我家门口站着干什么？"安住一听，忙说："您就是我伯父吧？我是刘天瑞的儿子刘安住啊。"天祥问："你有合同文书吗？"安住说："有，刚才伯母已经拿进去了。"刘天祥一听，一把拉住安住的手，说："侄儿，回家吧。"问了安住父母的情况，知道他们已成他乡之鬼，痛哭一场。哭毕，叫出杨氏，说："侄儿回来了。"杨氏拉着一张脸，问："哪个侄儿？"天祥说："是安住啊。"杨氏眼睛一瞪，说："哪来的要饭**花子**，冒充刘安住。拿出合同文书来看看。"安住忙说："刚才我亲手交给您

> 花子:乞丐。
> 劈(pī)头盖脸:劈向头盖住脸，形容来势凶猛。

了。"杨氏两手叉腰，说："我什么时候见过你的文书。你这要饭的冒充侄儿，想侵吞刘家家产，你休想得逞。"安住说："孩儿

宁愿不要家产，只求能将父母遗骨埋进祖坟。我立刻就回潞州去。"杨氏猛地抽出一条大棒，**劈头盖脸**砸向安住，顿时鲜血直流。刘天祥在一旁劝阻不住。杨氏将安住打出了大门。

31

刘安住卧在刘家门口，放声大哭。这时，恰有一个人走过，看见他这副模样，便上前问道："你是什么人？被谁打破了头？"安住哭泣着回答："我是刘天瑞的儿子安住，回来安葬父母遗骨，不想伯母不肯认我，还骗走了合同文书，又打破了我的头。"这人一听，忙扶起安住，原来他就是刘安住的丈人李社长。李社长听安住详细讲了事情的经过，拉着安住去敲天祥家的门。杨氏蛮不讲理，拒不承认安住。李社长便写了一张**状纸**，和安住一起，将刘天祥夫妇告到了开封府。

> **状纸**：诉状或印有规定格式供写诉状用的纸。

包公接了状纸，向刘安住、李社长详细询问了情况，心里已经清楚了基本案情。他传来刘天祥夫妇，问道："这孩子是你们的侄儿吗？"天祥说："我不认得侄儿，全凭文书判断。这孩子说他是侄儿，但没有文书；妻子又一口咬定他不是，我实在分辨不出，所以没有认他。"杨氏则坚决不承认私藏合同文书的事。

包公便对安住说："伯父伯母这样无情，我允许你狠狠

好在开封府有个黑脸包公，否则父母便成了他乡的游魂。

打他们一顿，以解心头之气。"安住只管流着泪摇头，说："天下哪有侄儿打伯父的道理。"包公心里更明白了。他命人把刘安住抓起来，对杨氏说："那孩子果然是个骗子。我已经将他下狱了，改日严刑审问。"

包公吩咐管牢房的差役对安住好一些，又故意放出话来，说刘安住头伤严重，得了破伤风，活不久了。过了几日，再次升堂。

大堂之上，杨氏一再**抵赖**。差役忽然来报："刘安住病重死了！"包公忙问："是什么病而死？快叫法医验明死因。"法医过了一会儿报告："是

这是古时候惯用的审案办法，没有科学根据，只能凭猜测。

太阳穴受伤**所致**。"包公于是冲着杨氏问："你与那孩子有亲戚关系吗？"杨氏坚决地回答："我与他没有任何亲戚关系。"包公说："哦，如果是亲戚，你大他小，即使打伤致死，也是误杀子孙，不用偿命。但如果不是亲戚，按法律规定，'杀人偿命'，我

> **抵赖**：用谎言和狡辩否认所犯过失或罪行。
> **所致**：由……导致。

33

二拍经典观止

就必须将你抓起来。左右，

把这老婆子投进狱里，秋后

> 处（chǔ）决：执行死刑或
> 处理决定。
> 健在：健康地活着。

处决。"差役们响亮地答应

着，便来抓杨氏。杨氏吓得面无人色，抖做一团，

一连声地说："包爷爷，他是我的侄儿，是我的侄

儿。"包公问："是你侄儿，有何凭据呢？"杨氏忙

从身上摸出那份合同文书。

包公忙命人从牢里叫出刘安住，将合同文书

> 包公办案合理
> 不合法，谁要是
> 想当法官，可千
> 万别学他哟！

还给了他。杨氏见刘安住好好地**健在**，连头伤也养好了，不禁羞得恨不得找个地缝钻进去。

包公最后结案，表扬了孝顺的刘安住和好心的李社长，令杨氏罚

款赎罪，并判杨氏所招女婿不得侵占刘家家产。

刘天祥将杨氏狠狠地埋怨了一场，与侄儿一

起，将刘天瑞夫妇的遗骨安葬了。刘安住与李定

奴选了个吉日成了亲，并到潞州拜见了养父母。

后来，刘安住继承了张李两家的家产。

学点英文

女 儿 :daughter   儿 子 :son   凭 证 :certificate

矛 盾 :conflict   行 李 :luggage   亲 戚 :relative

父 母 :parent   伯 母 :aunt   安 葬 :bury

伯 父 :uncle

读读想想

1. 刘天瑞外出逃荒时,与哥哥签了一份什么合同?

2. 谁将刘安住抚养长大?

3. 杨氏为什么不认刘安住?

4. 包公想出了一个什么妙计骗回了合同?

郭刺史无奈当艄公

唐朝僖宗年间，湖北江陵有一个人，名叫郭七郎。他父亲在世时是个大商人，死后给他留下万贯家财：乌鸦飞不到头的土地，盗贼扛不动的金山。当地大多数做生意的人，都是靠借他的钱做本钱，才得以**发迹**。

> 发迹：指人变得有钱有势。
>
> 卖官鬻(yù)爵(jué)：旧时指有权的人出卖官职、爵位，聚集财富。

有一个大商人，以前借了郭家一大笔钱去京都做生意，好几年没有音讯。郭七郎偶尔想到了这笔钱，又听说京都是个非常繁华的地方，便决定亲自走一遭，到京都去讨要这笔银子。

借他钱的商人叫张多宝，靠着这笔钱，已经在京都开了多家店铺，又帮忙**卖官鬻爵**。只要他答应了的事，没有办不到的，在京都很有名气，人人都知道他。

郭七郎家好像今天的银行家！

张多宝客气地接待了郭七郎。不等七郎开口，便把以前借的钱连本带利，共有十多万两银子一并还给了郭七郎。七郎见他如此爽快，非常高兴，就在他家租了一间大客房，住在了京都。

不知不觉三年过去，郭七郎日日饮酒作乐，**挥金如土**，身边的钱已经花去一半，一点儿正经事也没做，便打算回家去。张多宝劝他不要着急上路，当时正值王仙芝领导的农民起义军夺州掠县，路上带着那么多银子不方便，劝他等事态稍微平息，再走不迟。郭七郎只好又住下来。

不管什么时代，都会有用钱买官做的。

有一天，一个叫包大的告诉郭七郎："朝廷目前用兵讨贼，缺少钱粮。只要捐点钱，就可以买个官做。捐得越多，官就越大。"郭七郎听得心里痒痒，便去与张多宝商量。张多宝说："这件事做是能做，我也替人办成过几次。但是我并不建议你做。因为目前局势混乱，官并不好做。犯不着的。"七郎却在**兴头**上，认为自己家什么都不缺，就缺个当官的。并且眼前现成有这么多钱，又运不回去，不如花在买官上，也算个正经用处。

> **挥金如土**：形容任意挥霍钱财，毫不在乎。
> **兴头**：因为高兴或感兴趣而产生的劲头。

张多宝见劝不住，便替他去办。正好有个横州刺史郭翰还没上任，人却已病故。郭七郎便花了五千两银子，冒名郭翰，领了他的**委任状**。

郭七郎美梦成真，不觉飘飘然如在五里雾中，每日设宴庆祝，又有很多人整天围着他吹捧，越发得意，气色骄傲、旁若无人。

郭七郎得了官，急着想衣锦荣归，回乡炫耀，便择日起身。一路上**耀武扬威**，好不气派。走了几天，来到江陵地界，只见断壁残垣，人烟稀少，一片破败。原来官军在这一带镇压农民起义军，战火蔓延，人口已经百不存一。等到了自家门口，高楼大厦早已不见，只剩下一片瓦砾。母亲、弟妹、家人都不见踪影。郭七郎急忙派人找寻。找了三四天，找到一位旧邻

也算当了个七品芝麻官。

居，才知道家里被乱兵侵扰，弟弟被杀，妹妹被抢。只剩下老母亲和两个丫环，**寄居**在古庙旁的两间茅屋里，替人缝补过日子。

母子相见，抱头痛哭。七郎哭罢，说："事情已经这样，也没有可能再挽回。好在我得了官，以后还有荣华富贵的日子。母亲请放心。"于是穿上官服，向母亲拜了四拜，又叫随从们向母亲磕头。母亲见了，脸上才有了点喜色，却叹了口气，说："现在家里分文没有。你如果不买官，带些钱回来也好过日子。"七郎说："母亲真是女人家见识。现在当官的，哪个家里没个千百万。我

天灾人祸，躲也躲不过。

当上一两年官，一定重撑门户。"母亲这才转忧为喜。

第二天，郭七郎雇了一条大船，带着老母亲一起赴任。一路上吹吹打打，很是威风。

过了长沙，来到永州。州北有个兜率**禅院**，艄公将船停在那里，打算过夜。看见岸边有棵大榕树，就把缆绳拴在树上。七郎陪母亲进寺庙烧香。和尚得知七郎是赴任的横州刺史，**恭敬有**

禅（chán）院：佛寺、寺院。
恭敬有加：对人加倍地礼貌。

39

加。七郎和母亲回到船上时，天已经黑了。谁知半夜突然间狂风大作。顷刻之间，天昏地暗。忽听天崩地裂一声巨响，拴着缆绳的老榕树因年深日久，根部松动，竟"哗啦"一声倒了，把船砸了个粉碎。

郭七郎从梦中惊醒，急忙到船舱里扶出母亲。其他行李杂物，全部漂走了。随从们也都被水淹死了。

七郎扶着母亲来到寺前打门，只见寺门紧

该倒霉时，喝口凉水也塞牙。

闭，只得浑身湿漉漉地坐在门前等到天亮。和尚们见他们这样 **狼狈**，连忙问原因，派了杂工去打捞失物。谁知因为风大，早已吹得没剩下一星半点，连上任的文书也丢了。

> 狼狈：困苦或受窘的样子。

七郎没办法，只好向寺里借了间房，将老母亲安顿好。准备亲自去零陵州州牧那里说明情况，补办文书。

谁知祸不单行。老太太从战乱的惊吓中还没有恢复过来，又受了这么大一惊。眼看着到手的富贵又被一风吹走，心中苦不堪言，没有几天就去世了。七郎痛哭了一场，将母亲的尸体暂时寄放寺中，自己到零陵州请求帮助。州牧不好**驳**他的**面子**，便派人帮他安葬了母亲，又送他一笔钱，将他打发了。

按照规矩，死了父母必须辞官，回家守孝三年。七郎的刺史做不成了。和尚们看他没有利用价值，便慢慢**怠慢**他，不愿再留他住在寺里。郭七郎无处安身，只好寄住在永州一个父亲在世时就认识的船埠经纪人家里。七郎身上州牧所赠的钱也快花光了，经纪人看在眼里，埋怨的话越来越多，饭也不好好供了。郭七郎有些生气，说："我好歹也是堂堂一郡之主。现在虽然在守孝，清贫一些。

> 驳（bó）面子：不给情面。
> 怠（dài）慢：①冷淡。②表示客套，指招待不周。

官去人情倒，这是俗人的常情。做官才会有人巴结。

日后总有发达的一天，你们为什么这样欺侮人？"经纪人说："不要说你这个没上任的官，就是皇帝失了势，还要忍饥挨饿呢！我为什么要白

41

白供养你？"一番话说得郭七郎哑口无言，只能含羞忍耐。

又过了两天，经纪摔盘子打碗，越发不客气了。七郎气愤不过，心想不如再到零陵州走一趟，求得一些资助。就写了个贴子，自己送去。州牧见他一而再地来打扰，心里不耐烦，闭门谢客，不愿见他。七郎吃了**闭门羹**，只得**怏怏**然又回到经纪人家里。

> 闭门羹(gēng)：被主人拒之门外或主人不在，门不开。对上门来的人来说，叫吃闭门羹。
> 怏怏(yàng)：形容不满意或不高兴的神情。
> 自取其辱：自己给自己招来污辱。

经纪人早已打听到他在州里的情形，故意问他："不知州牧怎样款待的你？"七郎羞惭满面，只是叹气，不敢作声。经纪人说："我叫你把官架子放下，你就是不肯听，一定要去**自取其辱**。现在这个世道，你就是个挂名宰相，也当不了钱用。除非靠自己力

世态炎凉，让人心寒呀！

气，才挣得到饭吃。你不要再**痴心妄想**了。"七郎听他说得倒也在理，便问："你看我做什么好呢？"经纪人说："你想想自己有什么本事？"七

早知今日，何必当初！

郎说："我没什么本事。只是从小随着父亲在江湖上来往，船上当艄公把舵的事还懂得一些。"经纪人一听，高兴地说："这个正好，我们这里码头上船

只来往很多，常缺艄公。我推荐你去，好歹挣几个钱餬口，不致饿死。"七郎无奈，只好答应。从此在船上替人当艄公，掌舵度日。永州人熟悉他，了解他过去的，就叫他"当艄郭使君"，还有专门指名要坐他船的。

　　郭七郎在船上混了两年，守孝期满。没了委任状，无法上任；待要到京城再打通关节，又没有钱，只好死了做官这条心，踏踏实实地靠做工挣钱，养活自己。

> 痴(chī)心妄(wàng)想:指一心想着不可能实现的事。

学点英文

商 人 : merchant   乌 鸦 : crow   和 尚 : monk

建 议 : suggest   邻 居 : neighbour   半 夜 : midnight

生 气 : angry   皇 帝 : emperor   力 气 : strength

叹 气 : sigh

读读想想

1. 郭七郎花了多少钱, 买了一个什么官?

2. 郭七郎在哪里找到了自己的母亲?

3. 去赴任的路上, 遇到了一件什么事?

4. 郭七郎后来当上官了吗?

崔俊臣破镜喜重圆

元朝至正年间，江南真州有个年轻人，名叫崔俊臣，家里很有钱。他从小就聪明过人，写字作画，在当时很有名气。他的妻子王氏生得貌美如花，琴棋书画，**无所不通**，正是才子配佳人，天生的一对。

这一年，崔俊臣被任命为浙江温州永嘉**县尉**，带着妻子去赴任。他们雇了一条大船，沿长江一路前行。走到苏州时，船主想讨些赏钱。崔俊臣答应了，开箱取钱。不想箱中的金银杯盏被船主一眼看见，起了坏心思。

> 无所不通：没有不知道、不精通的。
> 县尉：县衙里的尉级军官。古时的一种官职。

这时正是盛夏，天气闷热，船主建议移船到清凉的地方去，崔俊臣同意了。船主便趁着夜色将船开到芦苇丛中，提刀进舱，一刀先砍死一个仆人。崔俊臣夫妇一见，忙跪下求饶说："所有东西你都拿走

净顾着高兴，忘记了人在外，不露财。

吧，只求饶我们一命。"船主用刀指着王氏说："你不必惊慌，我不杀你。其余的，一个都躲不过。"崔俊臣连忙哀告道："可怜我是一个书生，就让我落个全尸吧。"船主说："好吧，饶你一刀，

古时候，寺庙是躲避灾祸的一个最佳去处。

自己跳河吧。"不等崔俊臣挪步，拎起他的腿，一把扔入水中。船主将其他人杀尽，安慰王氏说："我不杀你，是想让你做我

的二儿媳。我儿子现在替人撑船去了杭州。一两个月后回来，就和你成亲。你现在已是我家的人了，就安心住着，不必惊慌。"

王氏是个聪明人，便假装答应下来。不管船主让她干什么，她都**百依百顺**，真像个媳妇侍候公公的样子。船主渐渐对她放松了戒备。

中秋节那天，船主叫了许多亲友上船，叫王氏置办酒席，

百依百顺：对任何事都顺从。
酩酊（mǐng dīng）**大醉**：形容醉得非常厉害。

一个个喝得**酩酊大醉**，东倒西歪。王氏抓紧时机，赶快逃了出来。

趁着月色,跌跌撞撞跑了二三里路。天蒙蒙亮时,来到一所**庵院**。一个女童出来挑水,王氏急忙跟进庵去。院主问她大清早从哪里来。王氏不敢讲出

> 庵院:尼姑住的佛寺。
> 憔悴(qiáo cuì):形容人瘦弱,面色不好看。

真情,就说自己是真州崔俊臣的小妾,因受不了大老婆的欺侮,所以逃了出来。院主见她形容**憔悴**,狼狈不堪,很同情她,便答应了她的请求,将她留在庵中。收她为弟子,替她落了发,取了个法名,叫做慧圆。

王氏很聪明,一个月左右,就把佛家经典全部记住。性格又很随和,与其他女尼们相处得很好。院主对她很敬重,院里的大小事情,都愿意先听听她的主张。王氏深居简出,从不抛头露面,天天静坐诵经。

大约过了一年多。有一天,附近两个施主到庵里烧香,院主留他们吃饭。第二天,两人送来一幅画,表示感谢。院主就把画装裱了,挂在墙上。王氏看见画,悲喜交集,

削发为尼,就是像和尚一样变成光头,男的称和尚,女的称尼姑。

原来这画正是他丈夫的亲笔。王氏藏住心里的情感，问院主画是哪来的。院主说："是本县的顾阿秀兄弟两个送来的。他们本是船户，近年忽然发财了。有人说是因为劫掠了客商，不知是真是假。"

> 寄托：托付，或把理想、希望、感情放在某人或某事上。
> 附庸风雅：为了装点门面而结交名士，从事有关文化的活动。

王氏记住顾阿秀姓名，提起笔来，在那幅《芙蓉图》上题了一首词，**寄托**自己的悲伤心情。

再说苏州城里有一个叫郭庆春的人，家里很有钱，又喜欢**附庸风雅**，爱搜集一些出色的字画。一天来到庵里，看到这幅《芙蓉图》，很喜欢，向院主提出要买，院主找王氏商量。王氏心想："这是丈夫的遗迹，实在舍不得卖掉。但上面有自己的题词，也许碰到一个有心人，读懂了题词中内容的含意，说不定还能帮我报仇雪恨。总比留在这庵里发

挥不了作用强。"于是便让院主卖了画。

郭庆春买了画，将画送给一位退居苏州的御史大夫高公。高公看画画得**精致**，也来不及细看题词，就叫书童挂在书房里，自己送郭庆春出门。走到门口，正好碰见一个人手里拿着四幅草书叫卖。高公平时很喜欢字画，便把那人叫过来。只

见字写得非常不俗，便问是谁写的？那人说是自己写的。高公打量一下卖字者，只见他一表非凡。便问他是哪里人，怎么落得个沿街卖字的结果。那人一

听就掉下泪来，说："我叫崔俊臣，带着妻子去永嘉上任。路上被船主**暗算**，沉入江中。幸亏会游泳，潜在水底，等船开走了才上了岸，遇到好人搭救。家产和妻子已被船主劫走，不知下落。第二天我就写了状纸去告状。只因没有钱活动，缉

> 精致:精巧细致。
> 暗算:暗中图谋伤害或陷害。

捕的人不肯用心。查了一年，也没消息。只能卖字为生。"高公很同情他的遭遇，又见他谈吐不俗，便有心帮他，收留他在家里教几个孙子读书。崔俊臣感激不尽。

高公摆下酒席，**款待**崔俊臣。正在饮

> 款（kuǎn）待：亲切优厚地招待。
> 变故：意外发生的事情；灾难。

酒时，崔俊臣猛一抬头，看见那幅《芙蓉图》。仔细读了一遍，眼泪滚滚而下。高公忙问原因。崔俊臣强忍着悲痛，说："这幅画正是当时被劫的东西之一，是我画的。画上的题词，是我妻子在**变故**之后提上去的，不知怎么却挂在这里？"高公一听说："我一定替你找到害你的人，不过暂时千万要保守秘密。"崔俊臣从此在高家住了下来。

哎，我的身世足够写一部长篇小说了！

第二天，高公叫来郭庆春，问明了画的来历。又派人到庵院里，向院主打听画是谁送的，是谁题的词？王氏得知官府中来人查问，便叫院主实话实说。高公打听清楚了，便和夫人商量，将慧圆从庵里接出

来，在夫人房里住下。

高夫人先和慧圆讨论些佛经上的事，慧圆对答如流，夫人十分喜欢。接着，夫人装作不经意地问起她的身世。慧圆顿时泪如雨下，把自己的身份与遭遇详细讲了一遍。夫人听完，已经明白慧圆就是崔俊臣的妻子王氏了。王氏托夫人转告高公，画是顾阿秀兄弟送来的，一定要查清这个案子。高夫人满口答应下来，却并

离休的老干部不在位，不太好插手，没有权力了！

没有把崔俊臣在府中的事说出来，只是宽慰王氏说："这些强盗**杀人越货**，必有报应。"

高公没有将慧圆的事告诉崔俊臣，只是派人暗中打听顾阿秀兄弟的作为，认定是强盗无疑。但因高公已是离职官员，不好亲自动手，只有等待时机。高公让夫人劝慧圆蓄发。慧圆坚决不肯，说："丈夫已经死了，我无心梳妆。况且既已落发为尼，就应遵守本分。"夫人将这些话告诉高公，高公非常赞赏，说："难得这样有志气的女人！"

> 杀人越货：杀害人的性命，抢夺人的财物。

51

过了半年，朝廷派了个监察御史薛某来苏州，这人是高公过去的下属。他来**拜谒**高公时，高公就将崔俊臣的案子委托给了他。

再说顾阿秀兄弟，自那年中秋节王氏逃走，也在一直寻找，但不敢声张。一年来又抢劫了十几次，侥幸没有败露，不免洋洋自得。这一天，正在家里饮酒，闯进一队官兵，将顾阿秀兄弟及一伙强盗全部捆了，查抄了**赃物**，送进官府。

> 拜谒（yè）：拜见或是瞻仰。
> 赃（zāng）物：贪污、受贿或盗窃得来的东西。

薛御史将查抄到的财物发还崔俊臣。崔俊臣看见这些东西，想起了妻子，放声大哭。心想："现在只有带上文书，到永嘉去上任。妻子找不着，呆在这里也没什么意义。"于是向高公辞行。高公说："你孤身一人，我替你做个媒。等结了婚，夫妻一起上任，不是更好？"崔俊臣眼含热泪，说："那张《芙蓉图》上，有我妻子的题

这就叫悲喜交集，喜极而泣！

词,料想还活着。我准备赴任后张榜找寻她。她认识字,看见榜文,一定会来找我的。我们是患难夫妻。我不忍心撇下她另娶。谢谢您的好意。"高公听罢,心里十分赞赏。

饯(jiàn)行:设酒食送行。

第二天,高公设宴为崔俊臣**饯行**,来了很多有声望的人。席间,高公请夫人叫出慧圆。崔俊臣与王氏一见,如同梦中,抱头痛哭。双双跪倒在地,拜谢了高公。

学点英文

性格:character   主张:opinion   消息:news

丈夫:husband   秘密:secret   案子:case

强盗:robber   头发:hair   意义:meaning

赞赏:appreciate

读读想想

1.船主为什么没杀王氏?

2.王氏逃到了哪里?

3.崔俊臣看见《芙蓉图》为什么落泪?

4.崔俊臣夫妇最后得以团圆,除了依靠高公的帮助外,跟他们自己有关系吗?

恶船家贪财造冤狱

明朝成化年间，浙江温州府永嘉县有个王生，娶妻刘氏，生了一个女儿，刚刚两岁。王生家并不很富裕，但也有一些仆人、侍女。妻子刘氏很贤惠，将家里**料理**得井井有条。

一天，正值**暮春**天气，风和日丽。几个朋友约了王生，到郊外踏青。春色怡人，王生心里舒畅，不免多喝了几杯，有些醉意。回到家时，看见两个仆人正和一个人在门口吵

架。那个人是湖州商人，姓吕，提着竹篮卖姜，与仆人讨价还价，正相持不下。王生问了原故，对那人说："我们出的价钱也不低了，你为何还

> 料理:办理、处理。
> 暮(mù)春:春季的末期。

在这里争，真不懂事！"那个人脾气很直，回敬道："我是小本生意，你们是要占我的便宜。相公应当大度些，不要这样小家子气。"王生本来就醉着，不禁大怒，骂道："哪来的家伙，敢在我家门

口**撒泼**？"走上前去，连打了几拳，又一巴掌推过去。不想那个人有些病根，被这一推，竟一头栽倒在地，昏了过去。

> **撒泼(sā pō)：** 大哭大闹，不讲道理。
> **压惊：** 用请吃饭等方式安慰受到惊吓的人。

王生一见这情形，吓得出了一身冷汗，酒意全无。连忙叫仆人把那人扶进屋里躺下，灌了些热茶。过了一会儿，那商人渐渐苏醒过来。王生连忙道歉，请他吃了饭，又送了一匹白绢给他，作为养病的费用。那人转怒为喜，道了谢，往渡口去了。

王生看见那人走了，心仍然跳个不停，很紧张。刘氏便叫丫头摆了几样菜，烫上热酒，为王生**压惊**。

王生刚饮了几杯，就听到急促的敲门声。王生又吃一惊，急忙拿着灯开门来看。只见渡口船家周四，手里拿着白绢、竹篮，慌慌张张地对王生说："相公，大祸临头了。"王生吓得面如土色，忙问原因。周四说："下午有个姓吕的湖州人乘我的船**摆渡**。忽然之间发了病，临死前告诉我，是相公您打坏了他。就把白绢、竹篮交给我，做个证据。让我替他告官，并且报告他湖州的家属，前来替他申冤。现在尸首停在船里，您可以去看一看。"

摆(bǎi)渡：用船运载过河或是乘船过河。
战战兢兢(jīng)：①形容因害怕而微微发抖的样子。②形容小心谨慎的样子。

王生吓得**战战兢兢**地跟他上了船，果然看见一具死尸。王生本来就心虚，也顾不上仔细辨认，便逃一般跑回家，去跟妻子商量。刘氏也没主意。王生说："事到如今，也没办法了。只好买通船家，让他把尸首埋了，不要声张。"王生拿了二十两碎银，出来对船家说："看在乡里乡亲的份儿上，请你千万替我保密。我有

真要如此，亡羊补牢又有什么用！

些谢礼给你，烦你替我把此尸运到别处给扔了。"船家说："扔在哪里？改天有人认出来，连我也要受牵连。"王生说："我父亲的坟地离这里有几里地远。就麻烦你运到那儿，悄悄埋了。"周四

说："这样也好，不知你怎样谢我呢？"王生便将二十两碎银给他。周四看了一眼，说："一条人命，只值这么点儿吗？死在我船里，不能少于一百两。"王生急着想**了却**此事，就又回去拿了些衣裳首饰之类，递给周四，说："这些东西，也值六十两了。"周四看东西到手，就答应了。王生

舍财免灾，
灾随灾！

派两个仆人和周四一起去埋尸。其中一个仆人，姓胡，为人凶狠，很有力气，人们都叫他胡阿虎。几个人折腾了一夜，才将尸首埋好。王生回到家里，心情**糟糕**到了极点。

又过了一年时间，王生的女儿忽然出水痘，病得很重，怎么都治不好。有人告诉王生，三十里外有个姓冯的儿科医生，有起死回生之术。王生赶忙连夜叫来胡阿虎，让他

> 了却：了结。
> 糟糕（ zāo gāo ）：指情况、事情坏得很。

57

去请医生。谁知等到第二天天黑，也不见胡阿虎和医生回来。女儿已经**气息奄奄**，熬到三更，命归黄泉。夫妻俩哭得昏天黑地。等到天明，胡阿

> 气息奄奄：形容气息非常微弱。
> 把柄：比喻可以被人用来进行要挟或攻击的过失或错误等。

虎才回来，说："冯先生不在家，我一直在他家等，所以今天才回来。"

王生也不责备他，只说命该如此。谁知过了些日子，有仆人才讲出真相。原来胡阿虎那天在路上喝多了酒，丢了请帖，根本没去请医生，睡了一日才回来。王生知道真相，想起女儿生前的模样，不禁勃然大怒，叫来胡阿虎，便要用竹板去打。胡阿虎说："我又没有打死过人，你为什么打我？"王生一听这话，更加生气，叫仆人把胡阿虎拉下去，狠狠地打了五十多板，这才住手。胡阿虎被打得皮开肉绽，回到自己房里，恨恨地想："你女儿本来就没救了，倒怪我没接着医生，将我打成这样。反正你有**把柄**在我手上，等我养

生活中要记住应人事小，误人事大。

好了伤，倒也让你看看我的本事。"

这样过了一个多月。忽然有一天，王生正在厅前散步，闯进来一班衙役，把麻绳铁索往他头上一套，拉着就走。王生吃了一惊，连忙喊冤。衙役说："好个杀人害命的冤枉人，你自己去跟县太爷喊冤去吧。"拉了就走。

来到县衙，让王生在堂下右边跪着。左边已跪着一个人，原来正是胡阿虎。王生这才明白是他怀恨在心，将以前的事告发了。知县问王生："胡阿虎说你打死了一个

生活中千万不要得罪小人，小鬼难缠这句话可是千真万确的!

湖州姓吕的客人，有这回事吗？"王生忙说："我是一个书生，怎会打死人。这胡阿虎是我的仆人，因前一阵子犯错，我用家法惩治了一番，他怀恨在心，前来诬告。"胡阿虎磕了一个头，说："青天大老爷，小人不是诬告。尸首就埋在王生父亲坟墓的右侧。老爷派人挖出来看一眼，就知道真假了。"知县差人去挖，果然挖出一具尸体。王生急忙为自己分辩："尸体早已腐烂，老爷凭

什么判断是我打死的？胡阿虎为什么不在当时告发我，一直等到今天？明明是他**栽赃**给我。"胡阿虎忙说："吵架的事**四邻五舍**都知道，老爷可以派人打听。"知县找来邻居，果然有人将经过叙述了一番。王生见被邻里指正，不觉面无人色，**语无伦次**。知县命人动刑，用力打了二十大板。可怜王生一个文弱书生，哪里经得起这样拷打，只得一一招供。知县录了供词，将王生投入狱中，只等有人来认尸，再来定罪。胡阿虎泄了私愤，搬到别处去住了。

刘氏刚死了女儿，丈夫又下了狱，哭得昏死过去。等慢慢醒了，换了衣裳，来到狱中。夫妻相见，抱头痛哭。过了几天，王生病倒狱中。刘氏焦急万分，想花钱保他出去治病。因是人命官司，没人敢做主。王生拉着刘氏的手说："我的病很重，说不定这

一念之差，满盘皆输。

> **栽赃**：诬告别人犯法。
> **四邻五舍**：指前后左右的邻居。
> **语无伦次**：讲话很乱，没有条理层次。

就是咱俩的最后一面了。怪我不好，误伤了人命，**连累**了你。只是胡阿虎这狗奴才，我就是到阴曹地府，也放不过他。"刘氏哭个不停，一个劲儿地宽慰丈夫。

刘氏回到家里，坐着发呆。一会儿，一个人挑着两个盒子，走进王家。他放下担子，问道："相公在家吗？"仆人定睛细看，又揉揉眼睛再看，不免失声大叫："有鬼！有鬼！"原来来人正是一年前卖姜的那个湖州人。吕客商拉住仆人问："我来拜见你们家主人，你怎么说我是鬼？"刘氏听到吵闹声，走出来一看，也吃了一惊。吕客商上前施礼，说："我是吕大。前年**承蒙**相公赠饭赠绢，感激不尽。这一年半到处做生意，今天又来到贵地，特地送些土产来，怎么说我是鬼呢！"刘氏看着他，眼泪直滚下来，说："你害得我丈夫好苦

> 连累：因事牵连别人，使别人也受到损害。
> 承蒙：客套话，受到。

虚惊一场。但现象中可以看出本质。不会有人无故栽赃给你的。

哇!"便将这一年多来发生的事细细讲给吕大听。

吕大听完刘氏的话,捶胸顿足地说:"可怜!可怜!天下竟有这样冤屈的事!去年我离开你家,上了渡船。船家见我拿着白绢,询问**原由**。我就把相公打我又救我,并赠了绢的事儿告诉他。他听了便要买白绢,我看价格合适,就卖给了他。他又要我的竹篮,我也就给了他,抵了摆渡的钱。没想到他要这两样东西,是为了设计害人。"刘氏说:"今天要不是您来。连我也不知道丈夫是冤枉的。

判都判了,又来翻案,也太不给我县大人面子了。

只是那具死尸又是哪来的呢?"吕大想了一会儿,说:"对了,我和船家说话的时候,水面上浮着个尸体。我看船家紧盯着尸体看,以为是无心的。**想必**他当时就有了奸计,真是狠毒啊!明天我就和你去县衙申冤,救出相公。"

> 原由:原因。
> 想必:必定是。

第二天,刘氏和吕大上堂喊冤,知县不相信,认为吕大是被刘氏买通的。吕大说:"我虽是湖州人，却在这里卖贷多年，认识的人不少。老爷可以找些人来指认。"一会儿，人来了，惊得目瞪口呆说："吕大哥是人是鬼？怎么会在这里？"

> 厉声：(说话)声音严厉。
> 哑口无言：像哑巴一样无话可说。

知县心里明白冤枉了王生，急忙派人密捕周四和胡阿虎。

周四骗了王生的钱，在县里开了个布店。捕快骗他说知县要买布，将他骗到大堂。周四猛地抬头，看见吕大，不由满脸通红。吕大**厉声**问道："船家自从买了我的白绢、竹篮，一别直到今日，生意好吗？"周四**哑口无言**，面如死灰。一会儿，胡阿虎也带到了，知县指着吕大问他："你可认识这个人？"胡阿虎仔细看了半天，也是无言以对。

知县彻底查明案情，命人将胡阿虎重打四十大板；周四不计其数，打死为止。不想没打到四十下，胡阿虎便一命归西。周四打到七十下，也打死了。知县将王生当堂释放。周四

没有判定罪，就被活活打死。小朋友如果当了法官，可千万别这样。

布店作为赃物，归还王生。王生谢过吕大，从此**发愤**读书。十年之后，金榜题名，成为进士。

> 发愤：决心努力。

学点英文

侍女：waitress　　郊外：suburb　　脾气：temper

春天：spring　　道歉：apologize　　渡口：ferry

原因：reason　　家属：household　　责备：blame

医生：doctor

读读想想

1. 王生和姓吕的客商吵架后，两人闹崩了吗？

2. 周四跑来，告诉王生一个什么消息？

3. 胡阿虎为什么对王生怀恨在心？

4. 谁最后救了王生的命？

赵六老娇纵出逆子

某朝某府某县，有一个人姓赵，排行第六，人们都叫他赵六老。赵家声誉清白，也有些家底。养了一个儿子，从小被当作心头肉、掌中宝，百般娇惯。到了六七岁，请了一个有名望的教师，为他取了个学名，叫做赵聪，教他读书。赵六老夫妇怕儿子读书辛苦，又怕老师管得太严，每天读不了几句书，就叫休息。那赵聪倒也很会**"体贴"**父母的心意，动不动就装

溺爱孩子的家长，最终势必因爱生恨。

病，不肯读书。父母也不说他。老师看在眼里，叹口气说："这样娇惯，只怕将来会害了他。到那时再后悔，也来不及了。"但也只是**冷眼旁观**，不加干涉。

过了大半年，忽然有人上门提亲，说的是一位姓殷的**官宦**人家。赵六老看重殷

体贴：细心忖度别人的心情和处境，给予照顾关切。
冷眼旁观：用冷静或冷漠的态度从旁观看。
官宦(huàn)：泛指做官的人。

家的门第，答应下来，准备了一份非常重的聘礼，为儿子定了亲。从此逢年过节，送些钱物，花了不少钱。

时间过得飞快，赵聪因为娇生惯养，到十四岁时才读完经书。赵六老还认为儿子有出息，欢

安逸(yì)：安闲舒适。

天喜地，又花重金请了一个饱学的秀才，教儿子作文。到这时，赵家的家产已经为儿子花去七八分了。赵六老却情愿借贷，也要供儿子出人头地。谁知赵聪已养成了贪图**安逸**的懒病，十天倒有九天不去书房。先生落了个清闲自在，也不去管他。

过了一年，县里考童生，赵六老让赵聪也去应试。花钱通关系，托人情，结果童生没考上，银子又白花了不少。考完试，六老思量着为儿子完婚，只是手头已经没钱了。他只得找了个叫王三的做中间人，向别人借了四百两银子，备办礼物，选定了婚期。到了接亲的日子，又向当

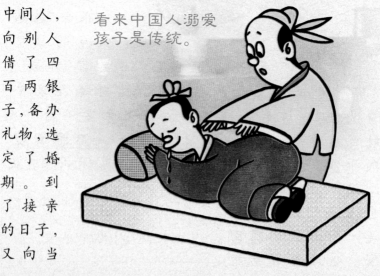

看来中国人溺爱孩子是传统。

铺**典当**了一些衣饰，得到四十两银子。还是不够，又央求王三做中人，借了六十两银子，这才将婚事打发过去。

小夫妻俩住在六老隔壁的一个小院子里，倒也非常恩爱。这殷家女子自恃出身高贵，不把公婆放在眼里。而且十分**吝啬**，带来三千金财物，不肯拿出一文钱来贴补家用。赵六老节衣缩食，东挪西凑，供养着儿子、媳妇，唯恐有不周到的地方。小夫妻两个还嫌长嫌短，很不满意。

转眼过了三年，赵聪母亲因患痰火病，起不了床，把

早知道花这么多钱养个不孝子，还不如办家饭馆，最起码老了有饭吃。

家事全委托给儿媳掌管。殷氏开始还像个样儿，两三个月以后，赵六老便要水无水，要饭没饭了。有时实在忍不住，讨要一回，殷氏便说："谁愿意干这苦差事！你们让我当家，又来说长道短，搞得人烦！"赵六老听了，只能

典当：以物抵押，换回钱物，一定期限内可以赎回。
吝啬(lìn sè)：过分爱惜自己的财物，当用不用。

67

忍气吞声。赵老娘想想昔日的风光，再看看眼前的光景，不由气得头昏脑胀，病情加重。儿子、儿媳根本不到病床前看一眼，照样过自己的快活日子。赵老娘苦熬了半月，一命归西。

儿子和媳妇过来干号了两声，转身走了。赵六老捶胸顿足地大哭了一场，到隔壁求儿子说："你娘今天去了，我实在身无分文。望你念在母子亲情的份儿上，为母亲买口好棺材，选个墓地将她埋了，也显得你一片孝心。"赵聪不耐烦地

娘子是我们班的生活委员，所以我一切都听她的！

说："我哪儿有钱买棺材？你到前村李作头家**赊**口薄棺来，钱我明天还他！"赵六老无奈，眼里含着泪，去赊棺木。

谁知殷氏知道了这事，将赵聪一顿责备："你倒大方！明天要还钱你还去，我一个子儿也没有！我又没得过你爹娘什么好处，凭什么让我出钱。这种事，一次松了口，就没完没了。就说没有，怕他什

忍气吞声：形容受了气强自忍耐，
不说什么话。
赊（ shē ）：欠账。

么！"赵聪一听，忙顺着她的意思说："娘子说得对，我不还就是了。"

赵六老赊了棺材，**装殓**了老伴儿。儿子儿媳也不**守灵**，也不操办丧事，也不给父亲做饭。李

> 装殓（liàn）：给死人穿好衣裳，放到棺材里。
> 守灵：守在灵床、灵柩或灵位旁。

作头来要棺材钱，赵聪果然不付。赵六老急得哭出来，倒是李作头不忍心，让他随便找两件东西抵。赵六老翻箱倒柜，找到三件冬衣，抵了棺材钱。

眼看冬天到了，寒风刺骨。六老没有了冬衣，便赊了一斤丝棉作衣服。为了还债，他将一件夏衣拿去，跟儿子说："这件衣服，你当几个钱给我吧！"赵聪心想，这衣服迟早是我的，我干吗要用钱来当，便不理会父亲。父亲只得摇头叹气，回到自己房中。不料殷氏听说了此事，对赵聪说："你不当，他一定拿到当铺里当了，衣服岂不是没了？你不如胡乱给他几个钱，肯定占便宜。"赵聪便找父亲要来衣服，拿去让殷氏看。

你娘说：死了连个棺材都没有，早知道就不死了！

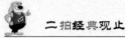

殷氏吩咐赵聪，这件衣服最多只能当四钱银子，多了没有。赵聪便跟父亲说了。赵六老不敢嫌少，接过钱来。赵聪又连忙写了一张押纸，说明如果五月之前还不起钱，衣服便归自己。赵六老看了押纸，气得脸色铁青，一把撕碎了，长叹一声："真是报应啊！"

> **中人**：这里指两边作保的中间人。
> **低声下气**：形容恭顺小心的样子。

过了一夜，六老刚刚起床，只见**中人**王三走了进来，不禁吓得面如土色。王三果然是来要账的，说当年六老借的那六十两银子，连本带利，今年必须得还了。六老只得**低声下气**地请求王三再宽限几天。王三拉下脸来，说："为你这些钱，我把口水都说干了。钱是为你儿子结婚借的，应当让他来还。"六老无言以对，只好去跟儿子商量。王三便回去了。

赵六老来到儿子门前，见里面热热闹闹，香气

养这个儿子，似乎就是为了气死爹娘。

四溢，在做好吃的。原来殷氏的哥哥来了。六老只得往回走，心里想着，或许今天还能送些好吃的过来。谁知一会儿饭送来了，仍是两碗黄糕米饭。六老气得难以下咽。想起**过世**的老伴，忍不住又掉下泪来。赵聪与殷公子喝了一天酒，赵六老只得第二日一大早又来到儿子门前。赵聪还未起床，六老呆呆地立在门前，等了个把**时辰**，这才见赵聪开门出来。六老忙说："你成亲时借的六十两银子，如今王三来催讨。我实在身无分文，你能不能先借

明明知道我在减肥，还送这么多饭诱惑我，气死我了！

我一点儿，让我先还了利钱。"赵聪脸色一变，说："我哪里有钱。再说，别人家儿子成亲，也是父母出钱，你为什么要我还？"六老说："不是让你还，是暂时借你的钱。"赵聪看父亲不走，推托与媳妇商量，走进去再也不肯出来。

过世：死亡、去世。
时辰：①旧时的计时单位。②指时间、时候。

　　赵六老等了半晌，知道没有希望，只好回家，王三早已等在那里了。六老看实在躲不过去，只

好红着一张老脸，撒谎道："儿子已答应借我两个元宝，兑了银子，马上就还你。"王三知道赵六老一直是个老实人，毫不怀疑，便约定第二天来取。

赵六老再次找赵聪商量，求儿子可怜自己，救自己一命。儿子却不耐烦地说："别拿这些话

> 万念俱灰：形容受到沉重打击或失意后极端灰心失望的心情。

吓唬人，要死赶紧死去，活着也没用处。"赵六老听了，伤心欲绝，扯住儿子放声大哭。赵聪挣开父亲的手，躲进屋里，再不出来。

六老**万念俱灰**，抱着老伴遗物大哭一场，悬梁自尽了。第二天，邻居发现，报到县衙。知县清正廉洁，找来邻里调查老人死因。得知赵聪夫妇不孝，逼死老人，当即将赵聪捕了，判了个大逆不道的罪。当堂打了四十大板，投入监狱，又没收了赵聪家产，安葬了赵六老。殷氏无可奈何，只得花些钱，时常来狱中探望赵聪。不想染上

我现在知道什么叫做自作自受了！

瘟疫,很快便死了。赵聪是享福惯了的人,受不了苦,没多久也死了。

> 瘟疫(wēn yì):指流行性传染病。

学点英文

教师:teacher   书房:study   责备:blame

棺材:coffin   大方:generous   好处:advantage

丧事:funeral   结婚:marry   撒谎:lie

希望:hope

读读想想

1.赵聪小时候爱学习吗?

2.赵聪母亲病逝后,赵聪伤心吗?

3.赵六老为什么上吊自杀?

4.这个故事告诉我们一个什么道理?

乌将军一饭必相酬

明朝景泰年间，苏州府吴江县有个生意人，复姓欧阳。妻子曾氏，生有一儿一女。儿子十六岁，未婚；女儿二十岁，招了个上门女婿，名叫陈大郎。家道不贫不富，在门前开了 **一爿** 小小的杂货店，由陈大郎和小舅子管理。一家人和睦相处，做生意度日。

> 一爿（pán）：一间，一家。
> 魁梧（kuí wú）：强壮高大。

这年冬天，天降瑞雪，陈大郎去苏州置办货物。他冒雪行走多时，想找个酒店喝点酒暖暖身子。远远看见走来一个 **魁梧** 的大汉。那人身高七尺，膀阔腰圆，腰里挎一把钢刀。这人的脸庞大半被长胡子遮住；没有胡子的地方，又都长着寸把长的毛，只剩眼睛露在外面。陈大郎见这人相貌奇异，一时好奇心大发，想看看这人怎样吃饭。就上前躬身行礼，邀请那人一起去酒楼喝一杯。那人也冒雪走了

喝酒并不能热身，喝完酒发一会儿酒疯身体就热了。

很久，又饥又冷，听说有人请，立刻笑逐颜开，连忙说："**素昧平生**，怎么敢当？"陈大郎说："我看您仪表非凡，必是豪杰，所以有意结交。"那人便随陈大郎上了酒楼。

我这辈子只蹭上了这么一顿饭，好感动哟！

陈大郎向那人敬酒，只见他接了酒杯，放在桌上，从衣袖里取出一对小小的银钩，挂在两耳，将胡子分开钩住，便放开手脚大吃大喝起来。一共喝了几壶酒，吃了十来碗饭，把陈大郎都看呆了。吃完饭，那人站起身来，拱一拱手说："多谢兄长款待，请教您的姓名**籍贯**。"陈大郎告诉了他，又问他姓名，那人不肯细说，只说："我姓乌，是浙江人。改日兄长来浙江，恐怕还能相见。兄长今天的盛情，必当报答。"说罢，谢过陈大郎，出门走了。陈大郎将这事看作偶然的相遇，作为笑谈与人说说罢了。

又过了两年，陈大郎夫妇结婚多年无子，

> 素昧（mèi）平生：一向不相识。
> 籍贯：祖居或个人出生的地方。

求子心切，想到普陀山烧香求子。还没决定什么时候去，有一天，欧阳公外出了，崇明岛一个叫褚敬桥的来说，曾氏的母亲生病了，想让曾氏去陪伴几日。曾氏因欧阳公不在家，就派一对儿女先去侍候外婆。陈大郎独自看守店铺。

过了十多天，欧阳公回来了。崇明岛又派人

带信来说："上次褚敬桥说外孙们很快就来，怎么**至今**不见？"欧阳公夫妇与陈大郎大吃一惊，说："早走了十多天了，怎么说不见？"忙去寻船家。

船家说："我将他们载到海滩边，船进不去。他们讲自己认得路，就让我先回来了。"欧阳公急得没办法，便叫妻子与女婿速到丈母娘家打听。

至今：到现在。

第二天一早，两人来到崇明，曾氏的病体已经康复。知道外孙走失，"心肝宝贝"地痛哭起来。陈大郎是个急性子，猜想是褚敬桥设计行骗，便气冲冲来到褚家，抓住褚敬桥便要人。褚敬桥**冤枉**万分，四邻也为他做证。陈大郎没办法，只得在苏州和崇明两处都递上状纸，并许下赏银二十两。官府派人四处查找。查到年底，也没有消息。别人家都欢欢喜喜过年，唯有他们家，哭成一团。

> **冤枉**：①受到不公平待遇。②给无罪的人加上不应有的罪。③不值得。
>
> **虔（qián）诚**：恭敬而有诚意。

不觉又是来年二月，陈大郎想起本月十九日是观音菩萨生日，本来想去菩萨处求子，没想儿女没求来，连妻子也丢了。于是决定去普陀山走一趟，一来祈求观音保佑，二来看看浙江景色，也好排解烦闷，顺便再做点买卖。于是托丈人照看店铺，独自上路。

来到普陀山，陈大郎对着观音**虔诚**地焚香膜拜，叙述了自己的遭遇，祈求观音保佑他们夫妻有团圆之日。拜罢上船，不觉睡去，梦见观音菩萨向他念了四句诗："合浦珠还自有时，惊危目下且安之。姑苏一饭酬须重，

我也要留胡子！留胡子就有人请吃饭。

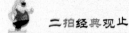

大海茫茫信可期。"

第二天开船回家。走了没多久，海面上忽然刮起**飓风**，吹得恶浪滔天，天昏地暗。小船随风漂去，来到一个岛边，风忽然停了。岛上有几百个小喽罗，见有船来，呼啦一下围过来，把一船人身上的钱都搜出来，见钱不多，就要提刀杀人。陈大郎情急之下，高喊一声："好汉饶命！"那些喽罗听见，忙问他是哪里人？陈大郎说自己是苏州人。喽罗们便说："如果是苏州人，可不敢随便杀，绑去见大王再说。"连一船人也都饶了性命，一起带到聚义厅来。厅上一个大王慢慢走到陈大郎面前，仔细**端详**，忽然叫出声来："原来是老朋友到了，快些松绑。"陈大郎偷眼一看，原来这人正是两

> 飓(jù)风:气象学上指12级风。
> 端详:这里指认真仔细地看。

幸亏普通话不标准，还有苏州口音，保了一条命！

年前他曾请喝酒的那个长胡子的人！喽罗忙给陈大郎松了绑。大王将陈大郎让到一张交椅上，低头便拜，说："小孩子们不懂

事，**冒犯**了老兄，还请原谅。我很感激老兄一饭之恩，始终不忘。所以吩咐喽罗们，凡遇苏州客商，不可随便杀戮。今天遇上仁兄，真是缘分

为了还人情，把俺家里人全抓来了，太夸张了吧！

啊。"当即命令置办酒席，为陈大郎压惊，将船上其他人也都放了。

酒席上，陈大郎问道："上次酒楼仓促一聚，不及细细请教壮士大名。"大王说："我生长在海边，姓乌名友。从小臂力过人，众人推举我为大王，占据此岛。只因我毛发浓重，人们都叫我乌将军。我们

这些人轻钱财而重意气。上次兄长请我吃饭的事，我一直记挂在心里。"陈大郎听了，又惊又喜，心想："真是**侥幸**！如果不是两年前请他吃了一顿饭，今天恐怕连性命也难保了！"又喝了几杯，乌将军问起陈大郎家里的情况。陈

> 侥(jiǎo)幸：由于偶然的原因而得到成功或免去灾害。
> 冒犯：言语和行动没有礼貌，冲撞了对方。

大郎不禁流下泪来，一一告知。大王说："嫂子

怕是找不着了。我这里有个女人，也是苏州人，就送给兄长做妻子吧。"陈大郎怕触犯了他，不敢推辞。乌将军便大喊："请进来，请进来。"只见一男一女走上厅来。大郎仔细一看，正是妻子与小舅子。三人悲喜交集，抱头痛哭。

大王便请二人也入了席，说："兄长想知道他们为何会在这里吗？

家眷(juàn)：指妻子儿女等。

去年冬天，喽啰们经常去崇明岸上打劫。一日看见一男一女傍晚同行，便捉了来。我一盘问，知道是兄长的**家眷**，便好好招待他们，不敢怠慢。心想只要能见仁兄一面，便可送还。不想今天兄长自己找上门来了！"三人感激了再感激，谢个没完。

第二天，三人告辞回家。大王派喽啰托出黄金三百两，白金一千两，彩缎货物不计其数，赠

给陈大郎。陈大郎推辞了一番，见实在推不掉，只好收下。大王将他们送到岛边，叮嘱说："以后每年都要来玩一次。"大郎答应了。

欧阳公夫妇见三人一起回到家中，**仿佛**梦里相见一般。陈大郎将事情叙述了一遍，欧阳公夫妇感慨万千。

从此，陈大郎夫妇每年都到普陀进香，每次都是乌将军派人从海道迎送。每次多则千金，少则百金，赠送很多钱财。陈大郎每年也将自己搜求的一些**奇珍异宝**赠给乌将军，乌将军又必定加倍回报。陈大郎**遂**成了当地的首富。

> 仿佛：好像。
> 奇珍异宝：稀少的珍珠、宝贝。
> 遂（suì）：①就。②顺、如意。

学点英文

杂货：groceries	管理：manage	魁梧：stalwart
冬天：winter	胡子：beard	奇异：unusual
外孙：grandson	生日：birthday	

读读想想

1. 陈大郎家里都有些什么人？

2. 陈大郎在雪天里遇到了一个什么样的人？

3. 乌将军是做什么的？

4. 乌将军为什么要救陈大郎？

谢小娥立志报深仇

唐朝元和年间，江西南昌有个富商，姓谢。他有一个女儿，叫小娥。小娥八岁时，母亲去世。小娥年纪虽小，但身体却高大强壮，像个男孩子。父亲把她许给一起在江湖上做生意的段居贞。两家合力经商，同船载货，生意兴隆。

> **江洋大盗**：在江河海洋上抢劫行凶的强盗。
>
> **席卷一空**：像卷席子一样把所有东西全都卷走，一点不剩。

小娥十四岁时，与段居贞成亲。谁知未满一月，船行到鄱阳湖口时，突然遇到几条**江洋大盗**的船，把谢段两家的船团团围住。为首的两个人跳过船来，将小娥的父亲与丈夫一刀一个，结果了性命。然后众盗贼一拥而上，挨个儿杀死全船的人。多亏小娥机灵，趁众盗贼杀红了眼的机会，一头扎进水里。强盗们把船上值钱的东西**席卷一空**，离船走了。

小娥在水里漂流，来到一条渔船边，

我是全国女子健美冠军！

渔夫夫妇救了她，又拿了几件破衣服给她换上。小娥慢慢苏醒过来，想起父亲和丈夫惨死的情景，不禁放声大哭。渔人夫妇也曾受过小娥父亲的恩惠，十分同情小娥的遭遇，就留小娥在船上**安身**。

休息了几天，小娥身体康复了。不愿再打扰这对好心的夫妇，便辞行上岸，一路讨饭，来到建业上元县。这县里有个叫妙果寺的尼姑庵。庵里**住持**见小娥可怜，又聪明伶俐，便想收她为徒。小娥却一心想为父亲

托梦也不托个简单的，累死我了！

与丈夫报仇，不愿就此落发为尼。从此，小娥白天在外面讨饭，晚上就住在妙果寺里。早晚跟着住持念诵佛经，祈求佛祖保佑，为她报仇。

一天晚上，小娥梦见父亲谢翁对她说："你要想知道杀我的人的姓名，有两句谜语，必须牢牢记住：'車中猴，門東草。'"说完便不见了。小娥猛地惊醒，大哭一

> 安身:指在某地居住和生活。
> 住持:主持一个佛寺或道观的僧尼或道士。

场。过了几天，又梦见丈夫对她说："杀我的人的姓名，也在两句谜语中：'禾中走，一日夫'。"

小娥把两条谜语记得牢牢的，思前想后，却怎么也猜不出。便走到住持的房里，讲了做梦的事。住持说："瓦官寺有个高僧，**法名**齐物，很有学问。又经常和官员士大夫往来，你不妨请他来解开这两条谜语。"小娥便来求见齐物，齐物想了半天，也没猜出来。他对小娥说："我把这两条谜

破解了这两条谜语，您可以获诺贝尔奖了！

语已经记住了，一旦碰到高人解了谜，我马上告诉你。"从此，小娥经常到寺里来打听，要饭时，也不断向人询问。可是几年过去了，也没人破解这两条谜语。

元和八年春天，洪州判官李公佐卸任，乘船东行，在建业停舟，上瓦官寺游玩。齐物与他一向投缘，陪他登楼望远，笑谈古今。齐物忽然想起那两条谜语，便让李公佐解谜，并将小娥的**凄惨**遭遇告诉了他。李公佐听了谜面，靠

法名：指出家人出家后由师傅另起的名字。
凄惨：凄凉悲惨。

在窗栏上，用手在空中画了画，**凝神**想了想，拍手说："有了，一定是这个意思。"转身对齐物说："快把那个女子叫来，我解释给她听。"

谢小娥闻讯，匆匆忙忙赶来，拜见李公佐。李公佐向小娥询问父亲和丈夫被杀害的详情。小娥失声痛哭，很长时间哽咽得讲不出话来。李公佐安慰她说："我已经猜出了谜语，你不要太伤心了。杀你父亲的叫申蘭（现简化为兰），杀你丈夫的叫申春。"小娥**不解**，李公佐说："'車中猴'，'車'去掉上下各一画，是'申'字。申属猴，所以叫'車中猴'。草下有'門'，'門'中有'東'，是'蘭'字。另外，'禾中走'是穿田过，田出两头也是'申'；'一日夫'，'夫'上加一画，下加一'日'，是'春'字。所以杀你父亲的叫申蘭，杀

> 凝（níng）神：聚精会神。
> 不解：不明白。

我猜这么多年都没猜出来，这家伙一下子就猜出来了，真令人伤心！

你丈夫的叫申春。"小娥更加伤心，跪在地上，拜谢了李公佐，又向齐物借来笔，将申兰、申春两人姓名写在内衣一条带子

上。李公佐问:"写这干什么?"小娥说:"冤有头,债有主。我曾经发过誓,一定要杀了这两个人,为父亲和丈夫报仇。"李公佐看见小娥**坚韧不拔**的意志,很是感慨。

小娥告别出来,决定去寻找申兰、申春二人。她觉得自己是女子,出行不方便,便女扮男装,改名谢保,又买了一把利刀,藏在衣襟底下。她想,那些强盗在湖上行凶,必定能在湖上找到。便每天等在码头,遇到哪条船雇人,便上船干活,慢慢打听。

> 坚韧不拔:坚持而不动摇。
> 照应:①照料。②配合呼应。

一天,她跟随一条商船来到浔阳郡,看见一张雇人的纸条。小娥打听雇主家的情况。有人告诉她:"这是申家雇人。主人叫申兰,在江湖上做生意。家里平时都是女人,所以想找个得力的男子,平日在家**照应**。"小娥一听,心头跳得"砰砰"的,心想,莫非真的找到仇人

我要做金牌卧底。

86

了，急忙请人**引荐**自己去投申家。

小娥来到申家，见里面走出一位颧骨高耸，浓眉红眼的彪形大汉，那人将小娥上下打量了一番，问小娥干过些什么？小娥说："平时在船上打工，码头商船上有很多人都认识我。您要是不放心，可以去打听打听。"申

兰便带着小娥来到码头。各船上的人异口同声夸小娥，说她干活勤快，小心谨慎，老实可靠。申兰大喜，留下了小娥。

小娥细心观察申兰日常行动，料定他是个不义之徒，猜想他十有八九就是仇人。然而必须得到他的信任，有机会经常呆在他身边，才能真正调查清楚并且报仇。因此，小娥非常**驯服**，让她干什么就干什么，一切全合着申兰的心意做。时间不长，申兰就把小娥看做了心腹，事事与她商议，连家里的财物，也让小娥掌管。小娥看见家里被

引荐（jiàn）：推荐。
驯服：顺从或是使顺从。

抢来的珠玉宝贝、衣服**器皿**，不禁睹物思人，暗自伤心。断定申兰就是杀害父亲的凶徒。

小娥把仇恨藏在心底，兢兢业业地服侍申兰，等待报仇的机会。她经常听人说起江对岸有个二官人，是申兰的堂兄弟，便猜想是申春。申兰经常说去二官人家，一去就是

> **器皿**：某些盛东西的日常用具的统称。
> **享(xiǎng)用**：使用某种东西而得到物质上或精神上的满足。

个把月，回来时必定带着很多金银财宝，却一直不见二官人来申兰家。这样过了两年多。有一天，有人来说，江北二官人来了。只见一个大汉，带着一群壮汉走了进来。申兰迎出来，说："二弟很久不来，今天是什么风把兄弟们吹来了？"二官人说："小弟申春今天抓了两条二十多斤重的大鲤鱼，所以特地买了一坛酒，来和哥哥共同**享用**。"小娥看见两个仇人终于聚在一起，知道

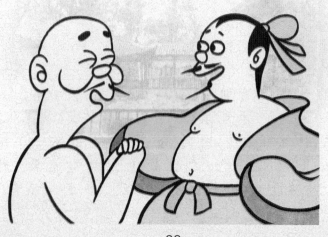

报仇的日子终于来到。

众强盗们大碗喝酒，大口吃肉。喝到天黑时，已经都醉了。小娥特意不断地向申家兄弟敬酒，将二人灌得酩酊大醉。申兰嫌屋里热，敞着怀睡在院子里。小娥把申春扶进屋里躺下，反锁了房门。她走到鼾声如雷的申兰身边，叫一声："父亲，女儿今天为你报仇了。"一刀砍下了申兰的头。

小娥本想接着去杀申春，想到他醉得没有申兰深，还走得动路，便不敢**轻举妄动**。出来招呼众位邻居，把自己的遭遇告诉大家，让大家帮忙抓这一伙江洋大盗。邻居们平时和小娥相处得都很好，也知道申家兄弟不是什么好人。便一拥而上，帮小娥绑了申春。

第二天，众人把申春带上公堂。小娥把事情的**前因后果**细细地讲了一遍。太守和堂上的人都听得目瞪口呆。尤其知道小娥一直女扮男装后，更加惊叹不已。

> 轻举妄动：不经慎重考虑，盲目行动。
> 前因后果：前后的原因、结果。

申春开始还拒不认罪。等到小娥领着捕快，将申家赃物都搜出来之后，才无话可说。太守又让申春把**余党**的姓名、地址供出来，一网打尽，全部下到死囚牢里。

　　太守将申春一伙审完，对小娥说："你自行杀人，按规定，也要判死罪。"小娥说："大仇已报，死而无憾。"太守说："法律虽然那样规定，但你的行为实在令人佩服。我要申报朝廷，替你免罪。"不久，朝廷旨意下来了，免了小娥的罪，将申春等人判了死刑。

> 余党：未消灭尽的党羽。
> 了却：了结。

　　行刑那天，小娥换上女装，在法场上亲眼看着斩了申春，又到府中拜谢了太守。**了却**了多年的心愿，报了大仇，小娥到妙果寺中落发为尼。

　　元和十三年六月，李公佐上长安为官，途经妙果寺，小娥又见到了他。将自己报仇的经过讲了，感谢李公佐的大恩。李

李公佐写《谢小娥传》主要为了告诉后人，那两条谜语可是他猜出来的噢！

公佐为小娥的行为叹息不已，后来写了一篇有名的**传奇**《谢小娥传》，流传千古。

> 传奇：①唐代兴起的短篇小说。②明清两代盛行的戏曲。③指情节离奇或人物行为超越寻常的故事。

学点英文

讨饭：beg   徒弟：apprentice   春天：spring

谜语：riddle   解释：explain   安慰：comfort

机会：chance   驯服：tame   佩服：admire

行为：action

读读想想

1. 谢小娥遭遇了什么不幸？

2. 谢小娥梦见哪两条谜语？

3. 李公佐是如何解谜的？

4. 谢小娥是如何报仇的？

郑兴儿好人得善报

明朝初年，京城里有个著名的相面先生，叫袁柳庄，因为曾替永乐帝算出真命天子的大运，被赐了一个三品京官，他的儿子也得封尚宝司丞。儿子和父亲一样，也是著名的相师。

当时，有一位姓王的部郎，家里人疾病不断。一天，袁尚宝上门拜访，见他脸色**忧郁**，便说：

> 忧郁：忧伤、愁闷。
> 妨碍（fáng ài）：使事情不能顺利进行。

"你们家近来不宁，是因为有人**妨碍**，将这人屏退，家里就安宁了。"正说着，一个小厮捧着茶盘出来送茶。袁尚宝看了小厮一眼，大惊道："原来如此！"等小厮退出，袁尚宝对部郎说："让你家里不宁的，正是这个人。"部郎很奇怪，说："这个人叫郑兴儿。在我家做事不到一年，老实勤快，我对他很满意，你怎么说他使家里不宁呢？"袁尚宝说："这个人的面相不对，妨碍主人。如

果留他到一年以上，你们家就会死人。"部郎**半信半疑**，和夫人商量。夫人对袁尚宝的相术深信不疑，便劝部郎辞了郑兴儿。郑兴儿无端被辞，大惑不解，说："小人又没做错什么事，为什么要打发我走？"部郎说："你没错什么。只是因为这些日子家里人疾病不断。袁尚宝先生说是因为你的**缘故**。所以只好先打发你在外面呆一阵子。"郑兴儿也知道袁尚宝的大名，知道自己是必走

在哪丢钱不好，害得人家学雷锋还得忍臭气。

无疑了，大哭一场，拜别了主人。谁知他一走，部郎家果然安宁了。

> 半信半疑：一半相信一半怀疑，拿不定主意。
> 缘故：原因。

再说郑兴儿哭着离开了王家，无处安身，暂住在一所古庙里。一天到厕所解手，看见墙壁上挂着一个包裹。他在手里掂了掂，很重。打开一看，里面竟是二十多包银子。兴儿一阵狂喜，但转念一想，这么多钱，肯定是有人要办要紧事，才带出来的。现在丢了，那人一定很着急，不如等在这

里，还给他。郑兴儿是个老实人，不敢离开厕所半步。等到天黑，也不见人来找。他忍着厕所的臭气，就睡在里面，又等了一晚。

第二天一大早，只见一个人蓬头肿眼，慌里慌张地冲进厕所。见有人在里面，再看一看墙壁，绝望地说："东西没了，这可怎么回去**交差**啊！"说完，就往墙上撞去。郑兴儿急忙拦住他，说："别着急，有什么事，先说出来听听。"那人**沮丧**地说："主人让我带着银子到京城中办点事儿。昨日在这儿上厕所，随手把装着银子的包裹挂在

墙上。上完厕所忘掉了，就走了。今天想起来来找，银子没了。主人的事没办成，又丢了银子，哪里还有脸回去？不如死了算了。"兴儿说："老兄不要着急。银子我捡了，原封不动在这里。"那人惊喜万分，忙说："如果是这样，我拿出一半儿谢你。"郑兴儿摇摇头，说："如果要你

> 交差（chāi）：任务完成
> 后把结果报告上级。
> 沮（jǔ）丧：灰心失望。

谢，我昨天把包裹整个儿拿走不就得了，还用在厕所里忍着臭气睡了一晚上等你来。不要看低了我的一片好心。"拿出包裹，还给他。

那人见兴儿年纪小小，却心地善良，说话**诚恳**，做事**慷慨**，便问道："小兄弟贵姓？"兴儿说："我姓郑。"那人说："我家主人也姓郑，河间府人，是个世袭指挥。因为想讨个官当，让我拿着银子到京城来打点。多亏小兄弟好心还了银子。请小兄弟跟我走。明天我办完事，领你一块儿回去。我们家主人知道你做了这样一件大好事，一定会喜欢你的。"郑兴儿正无处可去，便高兴地答应了。那人自我介绍是郑家的都管，姓张，人称张都管。张都管和兴儿到了京城，用银子上下打点，事情办得非常顺利。办完事，一同回到河间府。

路上，郑兴儿把自己因为面相不好被王家逐出的遭

> 诚恳（kěn）：真诚而恳切。
> 慷慨（kāng kǎi）：①充满正气。②不吝惜。

当好人也能用来找工作的。

95

遇告诉张都管。张都管说："你在患难之中，还能做到见财不取，真是十分难得啊。"

到了家门口，张都管让兴儿先等在外面，自己进去报告主人。主人听说事情办得很顺利，十分高兴。张都管**趁机**说："这事儿能办成，并非我一人的功劳，是因为我遇

> 趁(chèn)机：利用机会。
> 遵(zūn)命：依照对方的嘱咐办事。

到一位恩人。多亏了他，否则，不但事情办不成，连我的小命怕也没了。"于是就把丢了银子，兴儿守了一夜，还给他的事说给郑指挥听。郑指挥大为惊叹："天下还有这么仗义的人，这人现在哪里？"张都管说："我特意邀他一起回来，现在正等在外面。"郑指挥连忙命令请进来。

兴儿一见郑指挥，便跪下磕头。郑指挥一见，忙也跪下，扶起兴儿说："你是我的恩人，我怎么能受你的大礼，快请坐吧。"兴儿推辞了一番，**遵命**坐下。郑指挥听说兴儿也姓郑，又无家可归，

天哪，以后我要专门去捡钱给人还。

便说："我们老两口已快六十岁了，还没有子女。今天遇见你这个恩人。不是我想占你便宜，我想认你做个养子，不知你同意不同意？"兴儿慌忙说："我是个伺候人的下人，怕**担当**不起。"郑指挥说："快别这么说，你轻财重义，人品实在难得。我们又恰是同姓，也是天意让我们相逢，只怕认作义子，还委屈了你。"郑兴儿见推辞不过，便答应了。拜了四拜，认了义父。此后，人们都叫他郑大舍人，改名叫做郑兴邦。

郑兴邦从小就懂得一些武艺。跟着指挥在蓟州上任，有很多武术教师指点，武功日渐长进，指挥越

当年多亏在厕所里呆住了！

来越喜欢他。把他的名字报到朝廷，也做了个应袭舍人。郑指挥年底被调入京城，做了游击将军，一家老小都迁往京中。义父为郑兴邦花了些钱，讨了个指挥的**官衔**。郑兴邦骑着高头大马，行走在京城的街道上，想着自己三年来的人生起伏，不禁感慨落泪。

担当：接受并负起责任。
官衔（xián）：官员的职位名称。

郑兴邦想：人不能忘本。虽然王部郎当时赶我出来，但他们平日里对我很好。现在我有了地位，也应当去看看他。他和义父商量，义父非常赞赏，说："**贵不忘贱**，新不忘旧，才是忠义之人，我儿应当去！"

　　郑兴邦于是穿了**素衣**，腰系金镶角带，来到王部郎家。王部郎听说有一位武官来拜访，不知是什么人，忙叫请进来。

> 贵不忘贱：富贵时不忘贫贱时的人或事。
> 素衣：白色的衣服，比喻清白的操守。

兴邦一见王部郎，倒头就拜。王部郎没有认出他来，连忙扶起，说："你又不是我的下属，怎么能行此大礼？"兴邦说："主人不认得兴儿了？"部郎仔细一看，说："你怎么这身打扮？"兴邦就把别后的遭遇讲了一遍。部郎慨叹道："您有这样的前途，的确不是我们家

别以为磕头就能向我要压岁钱。

能够留得住的。只是我不该听袁尚宝胡说，得罪了您。"兴邦说："如果当年一直呆在主

人家里，也不会有这样好的机遇了，主人不必这样说。"正说着，家人来报：袁尚宝拜见。

王部郎一听，拍手笑着说："来得正好，我正想取笑他呢。"便对兴邦说："你进去换上旧衣服，出来倒茶，看他能不能认出来。"等袁尚宝坐定，郑兴邦双手捧着一个茶盘，恭恭敬敬地出来送茶。袁尚宝定睛看了一眼，猛地站起来，说：

这个算命的真会唬人，其实郑兴邦当下人时营养不良，肯定面相不好；等当官了，吃得好了，自然面相就好了。

"这是什么人？"王部郎说："这就是前几年逐出的小厮兴儿。他没有去处，又回到我家了。"尚宝说："你别想骗我。看这人的面相，是一位金带武官，哪能是个**下人**？"部郎大笑着说："你不记得你说他**妨主**的话了？"

> 下人：侍候人的人。
> 妨主：妨碍、有害于主人。

袁尚宝这才想起几年前的事，将郑兴邦上上下下端详了半天，说："我以前说的话没错，今天的话也没错。"王部郎忙问原因。袁尚宝说："这个人曾经做过一件大好事。

不是救过人，就是还过捡来的东西，所以面相发

叹服：感叹，佩服。　生了大的转变。并不是我看错

了。"兴邦和王部郎听了，都**叹服**说："袁爷真是

神人啊！"

学点英文

疾病：illness　　　满意：satisfied　　墙壁：wall

妨碍：impede　　　包裹：parcel　　　沮丧：depressed

善良：kind　　　　诚恳：sincere　　　遭遇：experience

茶盘：teaboard

读读想想

1. 郑兴儿为什么被主人逐出家门？

2. 郑兴儿在厕所里拾到了什么？

3. 郑指挥为什么愿意收兴儿为义子？

4. 郑兴儿的命运转变的原因是什么？

狄县令诚心感天地

唐武宗会昌年间，晋阳有个县令，名叫狄维谦，是唐代名臣狄仁杰的后代。他为人正直，性格刚毅。不管怎样**蛮横**的坏人，他都不怕，连上司也谦让他几分。他把晋阳治理得非常好，老百姓对他**感恩戴德**。

谁知晋阳这年遇上大旱，四五个月没下过一滴雨。数百里农田土地焦燥，禾苗全都枯萎了。狄县令急得团团转，能想的办法都想了，还不见下雨。只得贴出一张告示说，不管什么人，只要能求来雨，一定重金酬谢。告示一贴出，就有一群老百姓来禀告说："咱们这里有个郭天师，在京城里很有名气，法术很高明。县令不如去请他来为咱们求雨。"狄县令说："我委屈一下自己去求他，倒也没什么。只怕这些人是靠一张巧嘴行骗，没有

> **蛮横**（mán hèng）：态度粗暴而不讲理。
> **感恩戴德**：对别人所给的恩德，表示感激。

赶快使用人工降雨！

真本事,反而给老百姓们增加负担。"老百姓们却说:"他们名气这么大,一定是有真本事的。"县令没办法,只好答应下来。

这郭天师其实是当地一个无赖,叫郭赛璞。从小喜好巫术,就伙同外地来的一个女巫装神弄鬼,欺骗乡民。由于他们能说会道,偶尔说准一两件事,便**大肆**吹嘘,名声就传了出去。本州的监军使要到京城述职,带上了他俩。郭赛璞和女巫施符设咒,碰巧治了几个病人,自己都说不清是怎么回事,却渐渐声名大振,说京城来了一对活神仙。那监军使原来是太监出身,于是伙同一帮有势力的太监,为二人求得"天师"称号。两个人得了天子封的头衔,名气大得不得了,回到本州来,更加**不可一世**。

大肆(sì):无顾忌地。
不可一世:形容极其狂妄自大。

狄县令写了一封亲笔书信,派了个人,备了礼物,去见天师。天师态度非常傲慢,看完来信,慢悠悠地说:"想让

我们是一对经验丰富的骗子高材生。

二拍经典观止

我求雨吗？"来人磕头说是。天师说："晋阳大旱是天意。一定是你们这里的百姓罪孽深重，县令贪污腐败。这是老天爷对你们的惩罚。我如果替你们求雨，不是违背了天意吗？"来人连忙磕头说："本县县令清正廉洁，不忍百姓遭受旱灾之苦，才特意令我们来请天师求雨，天师千万

看来，早该在全县搞科普工作。

不要推辞吧。"天师冷笑着说："我岂能答应你们这些人的邀请？"就是不去。

县里百姓知道天师不肯来，都哭着请狄县令再写一封信，求天师

务必来一趟。狄县令没办法，只好又备了一份厚礼，写了一封言辞更加**恳切**的信，派人送去。同时又请州里的刺史出面相请。郭赛璞看看赚足了面子，才答应下来。于是备了两乘轿子，抬着郭赛璞和女巫，一路上燃烛焚香，吹吹打打，像迎来一对活佛。

> 务必：必须，一定要。
> 恳切：诚恳而殷切。

到了晋阳地界，狄县令领头迎接。亲自为他们斟酒接风，又亲自为他们牵着马。一路鼓乐，将二位迎进祠中，安排着住下，县令才告辞离去。

天师回到房里，对女巫说："这个县送重礼让我们求雨，满县官吏百姓求雨心切。如果我们**虚张声势**之后下不了雨，可该怎么办？"女巫一撇嘴，说："亏你耍了这么多年**把戏**，竟让这点小事难住了。明天我们求雨后，把下雨的日子定得远一点。好歹下个三两滴，也是下。如果实在下不来，我们就找岔子，指责他们。然后就说他们

不好！我算出来县令要收拾我们了，快逃！

惹恼了我们，一走了之。"

第二天，县令来祠里请他们祈雨。二人在祠前设了一个神坛，开始装模作样，胡言乱语。郭天师敲着令

牌，女巫打着一面九环单皮鼓。折腾了半天，郭天师对县令说："我已经请天帝为你们下雨了。三天之后，雨会湿脚。"这句话一传开，万民雀跃，大家都信以为真，盼着下雨。

谁知三天到了，不仅滴雨未下，天空反倒更晴了。县令和百姓们来找天师。天师说："一定是你这个县令无德，上天生

> **虚（xū）张声势**：假装出强大的气势。
> **把戏**：①杂技。②花招。

气。让我再来求一次吧。"狄县令说:"既然是我无德,灾祸就应当由我一个承担,不要连累老百姓们。烦天师告诉天帝,我情愿折寿,来换一场大雨。"天师说:"天旱一定有**旱魃**,找出旱魃,保证七天后有雨。"于是,

他让女巫到处去找旱魃。只要看到怀胎十月快要分娩的妇女,就说旱魃藏在肚子里,要用药堕胎。有钱人家慌忙塞钱给她,以求免祸。有一两户出不起的,就被她带到县衙里,说是旱魃之母,用冷水浇身。

狄县令气得不行,但为了祈雨,也只得忍耐。

七天之后,仍然一滴雨也没下。两人推托说:"这地方就不该下雨,我们呆在这儿也没用。"收拾行李就要

还不如把这两个骗子打得"泪如雨下",好歹也算下了点雨,有些收获。

走。老百姓急忙来找狄县令,请他**挽留**天师。县令不忍看着百姓苦苦哀求,便硬着头皮再来求天师祈雨。不料郭赛璞为了尽早脱身,撕下了面皮,骂狄县令说:"你这个小破官儿,不懂天意!你自己官当得不好,上天不肯下雨,留我们干什

105

么？"狄县令说："如果二位**执意**要走，我也不敢勉强。只希望你们再住一夜，明天我备下酒席送行。"二人这才转怒为喜，洋洋自得地等着县令请他们吃饭。

狄县令回到衙门，召集属下说："这两个家伙真**狡猾**。我明知道他们是骗子，无奈老百姓相信，也只好委屈自己求着

> 执意：坚持自己的意见。
>
> 狡猾（jiǎo huá）：诡计多，不能信任。

他们。不料他们一而再，再而三地侮辱我，现在还想一走了之。我怎么能眼看着不管？明天你们按我的吩咐行动。有了什么事，我一个人承担。"

第二天一大早，郭赛璞和女巫二人急着要走。管事的来问狄县令，为天师饯行的酒席设在县衙还是祠里，要预先准备，怕到时候来不及。

狄县令冷笑一声，说："有什么来不及的！"带人来到祠中。那两个人等得心急，看见县令到了，一齐嚷嚷起来："你为什么慢慢腾腾？不要耽误我们的时间。既然要饯行，就赶快！"狄县令猛然拉下脸来，大喝一声：

"大胆狂徒！你们**妖言惑众**，愚弄百姓，今天落在我手里，还想回去？"派左右将二人拿下。众衙役一拥而上，将两个人锁了，按倒在地。狄县令微微一笑，说："我现在就为你们饯行。"吩咐

我只算出县令要收拾我们，没有算出把我们收拾死，早知道当初上课应当好好听讲，把技术学精点！

把二人各鞭背三十下，打得两个人皮开肉绽，血沫四溅，气绝身亡。扔进祠前一条阴沟。可笑这郭天师与女巫骗了一辈子人，今天终于**恶贯满盈**，死于非命。

手下人看县令杀了天师，都吓了一跳，说："这天师的封号是皇上给的。如果让上面知道，怪罪下来，可怎么办？"狄县令说："这种人行骗为生，没有什么根基，不会有人替他说话。即便朝廷怪罪下来，大家也不必害怕，我一人做事一人当，拼着不要这官了。"大家都很钦佩狄县令的胆识与人品。

> 妖言惑（huò）众：用迷惑人的邪说欺骗众人。
> 恶贯满盈：作恶极多，已到末日。

狄县令想："我杀了天师，无知愚民会怪罪我得罪神明。我一腔忠诚，虔诚地期望天降甘

霖。也许我的至诚还能感动天地，下起雨来。"于是，他在神像前磕头祷告说："苍天有眼，既然不听信骗子的妖言，一定能鉴别正直者的忠诚，我决心从现在开始在祠后受烈日曝晒；如果求不来雨，我情愿晒死，决不中断。"祷告完，县令派人在祠后高山上设下一张香案，自己身穿朝服，戴好官帽，站在山顶，受烈日曝晒。

满城百姓听说县令杀了天师，自己甘愿受烈日曝晒，为民求雨，都聚在山下观看。也许是狄县令的**精诚**所致，不到半个时辰，忽然飘来一片黑云。接着，黑云越

我才是正牌天师！

聚越多，电闪雷鸣，下起瓢泼大雨。这场雨下了足足有一个多时辰，雨水四野横流。百姓们一齐拥上山冈，将狄县令**簇拥**着下了山。无数人跪在泥污里，叩谢狄县令为百姓付出的一片诚心。

精诚：真诚。
簇（cù）拥：紧紧围着。

一时间，狄县令的美名四处传扬，上司看到百姓称赞狄县令的书信雪片似的

飞来,也不再追究他杀死天师的事儿了。

学点英文

枯萎 : withered   告示 : notice   女巫 : witch

负担 : burden   称号 : title   礼物 : gift

态度 : attitude   惩罚 : punishment   侮辱 : humiliate

勉强 : reluctantly

读读想想

1. 郭天师其实是一个什么样的人?

2. 狄县令一共求了郭天师几次?

3. 狄县令是如何处置郭天师他们的?

4. 大雨真是狄县令求到的吗?

东廊僧招惹飞来祸

唐朝的时候，山东沂州的宫山有座庙宇，里面有两位僧人，分住东西两廊，称作东廊僧和西廊僧。已经共同在此修行了二十多年。两人曾经立下誓言，永远不下山去，只在佛前念经。

元和年间，一个冬天的夜晚，东廊僧正在**默诵**经文，隐隐听到有哭声由远而近，来到寺院门口。哭声刚停，一个人翻墙进来，直奔西廊。东廊僧看他身体异常庞大，形状怪异，吓得不敢出声。接着，西廊僧念经的声音嘎然而止，传来一阵搏斗的声音。过了一会儿，又传来吃人咀嚼骨头的声音，十分**瘆**人。东廊僧吓坏了，心想："院子里

好恐怖呀，以后再也不上晚自习了！

只有我们两个。吃完了他，一定会来吃我。我还是快些逃走吧。"他开了院门，跌跌撞撞地往前跑，那人在后面一直追赶。来到一条小溪边，东廊僧蹚着水跑过去，后面的人喊道："如果不是碰到这条溪水，我一

> **默诵**（mò sòng）：不出声地背诵或默读。
> **瘆**（shèn）人：使人害怕，可怕。

定吃了你。"便不再追了。

东廊僧高一脚低一脚，也不知逃到了什么地方。看见有个牛棚，就躲了进去。这时已是半夜了，田野里一片白茫茫的雪原，照得明晃

> 私奔：旧时指女子私自投奔相爱的人或与他一起逃走。
> 牵连：①因某人、某事的影响而使人或事不利。②联系在一起。

晃得亮如白昼。东廊僧忽然看见一个黑衣人，手里拿着刀，来到牛棚前站住，像在等什么人。过了很久，院墙里抛出很多包裹。黑衣人一一捡起来捆好，装了一担。接着，墙里面爬出来一个女子。黑衣人也不跟她说话，挑着担子就走，女子跟在他后面，一同走了。东廊僧猜想这是一对相约**私奔**的男女，心想："我继续藏在这里，一旦被人发现，岂不是**牵连**进去？不如趁早走开。"他不认识路，不分方向，慌慌张张只管往前走。走了十多里，一脚踩空，扑通一声掉了下去，原来是一口废井。东廊僧感觉身子底下软乎乎的，定睛一看，原来是个血淋淋的无头尸体，身子还热着。再仔细辨认，正是那个爬墙出来的女子。

真倒霉！吓人的事情怎么全让我碰上了！

东廊僧吓得浑身乱抖，想赶紧逃走。但井很深，爬不上去，只好干着急。

天渐渐亮了，一群人拥到井边，往下一看，大叫大喊："强盗在这儿呢！"就用绳索吊下一个人来。那人先照着东廊僧的光头一阵猛敲。

> 德行：道德和品行。
> 许聘：女子由家长做主，跟某人订婚。

东廊僧又冻又饿，又惊又怕，挣扎不了，被那人绑着吊上去。一位老人对着吊上来的女尸大哭一场，骂道："你这秃驴，为什么要把我女儿拐出来，杀死在这井里？"东廊僧连忙喊冤，将昨晚的经过讲了一遍。有几个认识他的，知道他是个有**德行**的高僧。但明摆着他和这死去的女子同在一口井里，只好把他送往官府。

以后跳井一定要先挑好了再跳。

县令见一帮人绑了个和尚，又抬了一具女尸，忙问原因。那个老人说："我姓马，是本地人，这死者是我女儿，今年十八岁，还没有**许聘**人家，这两天才有两家来说亲。今天早晨起来，发现女儿不见了。沿着脚印寻找，知道翻墙走了。一路追着来到井边，不见了脚印，却看见一滩血在地上。往里一看，只见女儿的尸体和这个和尚，凶手不是他又会是谁呢？"县令问东廊僧怎么解释。东廊僧说："我是宫山的僧人，二十多

年没有下山。昨夜，有一个怪物闯进来吃了同住的僧人。我很害怕，下山逃命。不想跌进井里。"又把昨晚自己的**见闻**仔细说了一遍。县令派了个人到宫山调查。

那人来到寺院，见西廊僧好端端地坐在那里看经书。问他昨夜是不是有怪物来过。西廊僧说："没有怪物。昨晚二更时分，我正在念经，听见东廊僧打开院门，跑了出去。我们已经二十多年不下山了，看他一个人急匆匆地走了，我觉得很奇怪。大声喊他，他却像没听见一样。"

> 见闻：见到和听到的事。

来人回去报告了县令。县令认定东廊僧说谎，再次审问东廊僧。东廊僧仍然坚持先前说过的话。县令说："西廊僧活得好好的，哪里有什

么怪物？你**恰恰**在这一天下山，又恰恰和这个死去的女子呆在一口井里，天底下哪有这么凑巧的事？明明是杀人的强盗，还要抵赖！"于是给东廊僧上了刑，让他快招。东廊僧直喊冤枉。县令急了，用上各种刑具。东廊僧撑不住，不得不说："不要再加刑了，就算是我杀的吧。"

原告马员外看到东廊僧受了各种**酷刑**，也招不出什么来。暗想："我们家和这和尚一点儿来往也没

还算有一点脑子。

有，他为什么要拐我女儿？就是拐了，为什么又要杀了她？就是杀了，为什么自己还不赶紧逃走？说不定他还真是冤枉的。"他把自己这些想法悄悄告诉了县令。县令觉得也有道理，便叫人先把东廊僧关进牢里，对马员外说："你回去暗地里察访一下，你女儿平日肯定有行迹可疑的地方，肯定和某些人有私下往来。你家里肯定有丢失的东西。你细心调查，一定会有结果。"

恰恰(qià)：刚好。
酷(kù)刑：残暴狠毒的刑罚。

马员外是本地一个富翁，家里只有一个宝贝

女儿，长得美丽**非凡**。她从小就和表兄杜生相爱。杜生家里清贫，几次托媒人来求亲，马员外嫌他们家穷，都没有答应，却不知道女儿心里只有一个杜生。眼看有人来提亲了，马小姐着急，与奶娘商量说："我一心只爱杜生，现在让我嫁人，可怎么办？"奶娘一直替小姐和杜生之间传递书信，知道小姐的心思，就说："现在看来不能明娶，只能暗嫁了。"小姐问："怎么个暗嫁法？"奶娘说："我去约定他，和你私下逃走。你多带点钱物，两人在外地过日子。等家里找到时，生米已经做成了熟饭，别人也没办法了。"小姐同意了，请奶娘约定时间。

> 非凡：不一般。
> 冒名：假冒别人的名义。

　　这奶娘却不是个好人，非常贪财。她看到马员外家有钱，便想出一条毒计。她从小姐房中出来，并没有去约杜生，而是告诉了自己的儿子牛黑。她让牛黑**冒名**顶替，把小姐骗到别处卖了，发一笔横财。一切安排妥当，奶娘对小姐说："都说好了，

就在今天夜里,你把东西先扔出去,爬墙出去就行了。"

牛黑很不本分,酷爱赌博,会些武功,常干些**偷鸡摸狗**的勾当。小姐爬墙出来,慌忙之中,也来不及细看。等到来到野外井边,在雪光反射下,小姐看到一个雄赳赳的黑脸大汉,根本不是杜生,吓得喊起来。牛黑叫她不要喊,哪里管得住?牛黑暗想,反正我已经得了她这么多东西,

怎么一下变得这么黑?肯定没用我送给他的防晒油,讨厌!

带着她也是个**累赘**。万一被人识破,岂不是人财两空,不如一刀结果了她算了,就杀了小姐扔进井里。

再说马员外回到家里,看到小姐房里箱子柜子全空了。就把丢了的东西开了个清单,在各处张贴,并许下重赏,要弄明白这件事。

奶娘知道儿子杀了小姐,免不了指责了儿子一顿,让他一定要小心谨慎。

> 偷鸡摸狗:指偷盗。
> 累赘(léi zhuì):多余、麻烦或使人感到多余麻烦的事物。

牛黑老老实实在家呆了一阵儿,赌瘾又犯

了，带着钱去赌，一会儿就输光了。想再回去拿钱，又舍不得离开，便从怀里掏出一对金镶宝簪头来，押上去赌。谁知又输了，**首饰**落在赌客黄胖哥手里。

> 首饰：泛指耳环、项链、戒指、手镯等。
> 恍（huǎng）然大悟：忽然醒悟。

黄胖哥带回家，被她妻子看见了，说："你哪儿来的这好东西？不要来历不明，惹出事来。"黄胖哥说是牛黑输给自己的。妻子说，牛黑又没成亲，哪儿来的女人东西。黄胖哥经妻子提醒，猛然想起马员外家的失物清单上多是一些女人首饰，就拿去给马员外看。马员外一看，正是女儿的东西，忙问簪子从何而来。黄胖哥就说了牛黑输钱的事。马员外一听，**恍然大悟**，心想：一定是他们母子合计好的。

马员外立即秉报了县令，县令将牛黑和奶娘唤到公堂上，刚一用刑，两人就全招了。

县令审出了真正的凶手，把奶娘、牛黑判了死刑，释放了东廊僧。

东廊僧平

白无故地遭遇了这样一顿官司，心里凄苦万分。回到寺里，西廊僧说："那天晚上和平时一样安静，哪来的什么怪物？为何你就看到了，招来这么一场**磨难**。"东廊僧摇头，说："我也不知道啊。"

> 磨难：在困苦的境遇中遭受的折磨。

学点英文

庙宇：temple	僧人：monk	庞大：gigantic
誓言：oath	小溪：brook	脚印：footprint
怪物：monster	牢房：prison	赌博：gambling
调查：investigate		

读读想想

1. 东廊僧为什么逃离寺院？

2. 东廊僧在牛棚里都看见了什么？

3. 马小姐爱的是谁？

4. 牛黑为什么要杀马小姐？

沈将仕快乐中奸计

大宋宣和年间,平江府有一个姓沈的官人。因为世代做高官,朝廷授他将仕郎的职衔。他带着好多金银,到汴京听候**调遣**。这个沈将仕家里富足,年纪又轻,兼之风流成性,所以上酒楼、下妓院、游青山、赏绿水,汴京城内凡是好玩的地方,没有不去的。只要玩得高兴,挥金如土也毫不吝啬。沈将仕有两个帮闲的**酒肉朋友**:郑十哥、李三哥。

> 调遣(qiǎn):调派、差遣。
> 酒肉朋友:只在一起吃喝玩乐,不干正事的朋友。

沈将仕整天和他们鬼混在一起。郑、李二人陪他饮酒作乐,不仅花的是他的银子,甚至和酒楼、妓院串通,哄骗他的钱财。一天,沈将仕对郑、李两人说:"城内吵得人心烦,我想到城外逛逛,散散心,你们看怎么样?"郑十、李三赶紧奉承说:"好!好!沈官人玩得越来越在行了。只是今天有点小事要办,明早过来相陪。"

活生生一个败家子,怪不得要被人家骗。

第二天早晨，郑十、李三如约前来。沈将仕提议不骑马不坐轿，步行去城外。郑十哥说："**高雅**！还是沈官人会玩儿。"于是，三人带着沈家的一个仆人踱出城外。放眼四望，只见绿树随风飘拂，古树沿堤成行，茅屋**参差**错落，炊烟袅袅升起，好一派野趣别具的田园风光。

> 高雅：高尚，不粗俗。
> 参差（cēn cī）：①长短、高低、大小不齐。②大约、几乎。

一行人边走边说，不觉得已走了三四里路。只见一口池塘横在眼前，几个粗手大脚的中年汉子，光着上身，正在给五六匹骏马刷洗。看见沈

这个沈将仕不长脑子，人家明显在引诱他。

将仕一行人走来，慌忙跳出池塘，穿好衣服，恭恭敬敬地行礼问安。沈将仕问郑李他们："这些人我并不认识，怎么这样恭敬？"郑、李说："这些人是王朝议使君的仆从，我们和他们主人关系亲密。他们见了我们两个，不敢怠慢。"

沈将仕一行离开池塘，向前走了几百步。李三哥忽然说："这样信步行走，漫无目的，不如骑他几匹马，顺路去拜

访王使君！"沈将仕表示和这位使君不认识，不愿意贸然打扰。李三说："不妨！这位老者家境豪富，姬妾成群，热情好客，又和我们亲密，必然盛情款待。"郑十说："对，对！的确是这样。既然到了这里，大官人一定要结交这个人。"沈将

喝酒误事，这明显是个圈套。

仕被说得心动了。一行人折回塘边，骑了四匹马去拜访王使君。

沈将仕一行人走进一所深宅大院。刚进入一间**富丽堂皇**的大厅，王朝议就在两个家童的搀扶下出来迎接。王朝议虽然衰老，却一副士大夫的派头。宾主寒暄

过后，就海阔天空地闲谈起来，越谈越投机。不多一会儿，主人摆上了美酒佳肴。王朝议客气地说："远离闹市，**仓猝**之间，只有几样小菜，不成敬意。"沈将仕赶紧说："无故打扰，承蒙款待，足见盛情。"四个人开怀痛饮，不觉已到黄昏。王朝议喉中发喘，咳嗽不停，就说："年老力衰，无法奉陪到底，请郑十哥代陪吧。"说完就在

富丽堂皇：宏伟美丽。
仓猝（cù）：匆忙。

121

家童的搀扶下进内堂去了。过了一会儿，李三也进内堂去了。

沈将仕觉得冷清，就到园子里散步。忽然听到了妇女们的欢笑声。循声找到一座阁楼，只见有灯光从阁中射出来。

> 神魂颠倒：精神、神志混乱。
> 艳羡（xiàn）：十分羡慕。

透过窗缝偷看，只见七八个美如月里嫦娥的女子围着一张八仙桌赌钱。李三竟然也混在里面，和众美女嬉笑打闹，非常亲热。沈将仕本来就好色贪赌，看见这种情景，**神魂颠倒**，**艳羡**地想："真是神仙境界啊！要能和这些女子玩一场，死也甘心了。"沈将仕急得抓耳挠腮，急忙拉郑十哥来看。郑十看了，不以为然地说："这个李三，好没分寸，这些姬妾虽然和我们熟识，也不该一起混闹。"沈将仕央求说："既然认识，十哥带我进去一起玩玩。"郑十被缠不过，说："要进去，必须带着钱物才体面，空手玩什么？"沈将仕连忙说："银子倒

唉，沈将仕看到美女就没命，不倒霉才怪。

有两三千两。若能和这些天仙们乐一乐，即便全输了，也心甘情愿。"郑十说："既然如此，我们悄悄进去吧。"

两人悄无声息地进入小阁，坐在一旁观赌。沈将仕看得手痒难耐，不断给郑十使眼色。等两边有了输赢，郑十才说："能让我们玩玩么？"众女子这才发现一个不认识的男人站在一边，一齐生起气来，说："哪里的野男人？怎么钻到内堂来？"郑十、李三急忙解释："他是我们的好友沈大官人，同来贵府作客的。"众美人这才恢复笑容，同意一块儿赌博作乐。

沈将仕**受宠若惊**，心满意足地和众美人赌了起来。谁知一开局就赢了，以后次次得手。众女子不服，把头上的钗环首饰全都取下来作赌资。不到一会儿，又输得精光，众女子个个目瞪口呆。郑十哥悄悄拉了沈将仕一把，说："不能再赢了，快走吧！"可沈将仕围在众美女之间，早已舒服得魂不附体，

> 受宠（chǒng）若惊：受到过分的宠爱待遇而感到意外的惊喜。

赢钱倒在其次，只想多享受一会儿美人**环绕**的艳福，哪里肯住手！只见他一边美滋滋地喝酒，一边下赌注。其中一个年龄最小也最漂亮的女子，见姐妹们价值一千多两的首饰输得精光，满脸不服气。回到房中，抱来一只羊脂玉花瓶，往赌桌上一放，说："这只宝瓶值一千两银子，是老爷心爱的东西，我私自拿来**孤注一掷**。赢了是我的福气，输了明天挨鞭打。"众人赶紧解劝："大家一起图个快乐，何苦闹到这个地步。"那女子说："我的主意定了，谁也不要阻拦！"

> 环绕：围绕。
> 孤注一掷（zhì）：比喻在危急时把全部力量拿出来冒一次险。

沈将仕看到这情景，对她又怜惜又疼爱，心想："我哪里有意赢她！算了，这回输给她一次，不然就太扫大家兴了。"

沈将仕觉得奇怪，心里想让，手下还来不及动作，三下两下，就被赢了。小女子说："想不到还有我赢的时候！"哪知花瓶里头全是金银珠宝，倒在赌桌上，光彩夺目，价值三千多两银子。按

这下惨了，早知道这样，还不如不赌。

照赌场的规矩，都该输家赔偿的。沈将仕无话可说，又无法赖账，只得把所赢的钱物和身上所有银子都掏了出来，勉强凑够三千两，全给了那个小女子。

双方还想赌下去，忽然听到王朝议大声咳嗽，索要痰盂。众女子惊慌不已，忙把三位客人推出阁外，吹灭了灯火，**一哄而散**，各自回府。

沈将仕等三人回到大厅。刚坐下，两个家童又来劝酒，说："主人身体**不爽**，不能出来奉陪，请客人多饮几杯。"三个人说："夜色深沉，不便再打扰，请转告你家主人，我们就此告辞。"三人骑马离开王家。到了池塘附近，天已大亮，还了马，给洗马人赏了酒钱。相约后天再到王家聚会，然后各回住处。

> **一哄而散**：一下子四下散去。
> **不爽**：①不爽快。②没有差错。

第三天清早，沈将仕等候郑十、李三，一直等到晌午，仍然不见踪影。派家童去催，回来说两人早就出去了。沈将仕想："该不是他们不愿意和我一起去，先走了？我又认得路，自己去吧。"于是，准备了

当还没上够吗？

礼品，雇了马，直接到王朝议家里去。

到了那里，只见大门紧关，从一个侧门进去，房内空空荡荡，不见一个人影。觉得奇怪，向大门左侧一个开皮匠铺的人打听。皮匠说："这是内相侯公公家的空房，好久都没人住了。"沈将仕说了前天夜里曾到居住在这里的王朝议家喝酒的事。皮匠说："几天以前，有几个恶少带了几个很漂亮的妓女，租了这座房子喝酒赌钱。第二天分了利钱，各自散伙，哪里有什么王朝议？官人莫不是被黑道上的人**暗算**了？"沈将仕这才疑心中了奸计，但又想起那天池塘边借马、大厅饮酒、阁中赌钱，似乎都是无意中碰上的，没有一点事先布置的迹象。

> 暗算：暗中图谋伤害或陷害。
> 原委：原因。

现在才反应过来，迟了。

又想，只要找到郑十、李三就可以问出事情**原委**了。

谁知从此以后，再也打听不到郑十、李三的下落。到他们的住处去看，门虚掩着，推门进去，里面空无一物。到这时，沈将仕才明白前几天的那些事情，并不是他的巧遇，而是出游的前一天夜里，郑十、李三精心**策划**安排的。马夫、小童、美女都是他们一伙的。这场骗局安排得天衣无缝、鬼神莫测，郑十、李三等可真是骗人的高手。虽然沈将仕后悔不已，但为时已晚，毫无办法可想。

策划:筹划,谋划。

学点英文

咨啬 : niggardliness   朋友 : friend   风光 : scene

早晨 : morning   池塘 : pond   洗澡 : bathe

窗户 : window   美人 : beauty   解释 : explain

赌博 : gamble

读读想想

1.沈将仕的两位朋友叫什么名字？

2.沈将仕在池塘边遇到了什么事？

3.沈将仕赌钱赢了吗？

4.沈将仕是如何发现自己受骗了的？

女儿、侄儿、学生

钱篓是浙江湖州府靠近太湖的一个村镇。这里住着一位老贡生，姓高名广号愚溪。他为人忠厚，性格固执。老伴已经去世，三个女儿都

> 积攒(zǎn)：一点一点地聚集。
> 积蓄(xù)：①积存。②专指积存下来的钱。

已出嫁。侄儿高文明自己盖了房子，另立门户。高广曾先后出任山东费县、沂州、东昌府的教官，**积攒**了四五百两银子。家乡人胡乱猜测，说高贡生有成千上万的银子，说得有鼻子有眼。

高广的三个女儿看老爹有点**积蓄**，比赛似的表示亲热孝敬。高广高兴地说："我虽然没有儿子，女儿们这样孝顺，晚年生活不用发愁了。"又想，反正有女儿们供养，留着这些钱干什么？不如分给女儿们，坚定她们的孝心。当下取

人言可畏呀！愣把一个穷人造成了富翁。

出三百两银子，一家分了一百。女儿得了银子，开始千恩万谢，欢喜不尽。后来听说老父亲还有

许多银子，心里就不满意起来，嫌给得太少。但还希望再得好处，所以不敢冲撞父亲，还是一个劲儿献**殷勤**。高广有时也给侄儿送一二两银子，高文明照常往来，并不计较。

这三个女儿够狠，这下老爸连回去的地儿都没了。

女儿们在高广家里热闹了几天，准备各自回家。临走争着抢着要老爹住到自己家里去。高广笑着说："不要争了，我到你们三家轮流去住。"女儿们走后，高广独自在破败的老屋里住了几天，寂寞难耐。就收拾了些东西，住到大女儿家。其余的两个女儿听说，都派人来接。高广依次到各家去住，女儿们**抱怨**来得迟走得早，过了两天，又来接了。

高广依次在女儿家住了两巡。女儿们茶饭精细，照顾备至。高广心想：年老体衰，孤身一人，何苦住在自己家里。女儿们这样孝敬，轮流供养不更好吗？只是白吃白住，心里不安。不如把身边的银子都分给她们，这家吃吃，那家住住，落得逍遥自在。他将想法告诉女儿们。女儿们都说："孝敬父亲，

> 殷（yīn）勤：热情而周到。
> 抱怨（yuàn）：心中不满，数说别人的不对。埋怨。

129

是应该的，什么东西都不给，也没意见。"高广听了大喜。就倾其所有，拼凑了三百两银子，分给了女儿们。

高广不回家，老屋没人居住，逐渐坍塌下

撺掇（cuān duō）：从旁鼓动，怂恿别人。
冷嘲热讽：尖刻的嘲笑和讥讽。

来。女儿们**撺掇**得父亲同意，这家拆些木料，那家拆些砖瓦，把一所房屋糟蹋得不成样子。虽说老屋也有侄儿一份，高文明并不争抢。

过了一段时间，女儿女婿们逐渐冷淡起来。高广想买点东西，手里没有钱，加之脾气直，嫌长嫌短，免不了发生点小的争执。高广说："我吃的是自己的，不是你们的，何苦这样多嫌我？"女儿们见老父的油水已经榨干，没什么想头了，又罗嗦多事，就厌烦起来。于是，这家嫌住的时

老爸现在该明白了，以前的孝顺都是假的。

间长了，那家又赖着不来接。老汉想多住两天，女儿就说出难听的话来："东西是三家平分的，又不是我一家独吞，怎么住在我家不走？"老汉气得不行，教训女儿几句，女儿们**冷嘲热讽**，话说得更加难听，父女就

吵了起来。女婿们劝解时，**也指桑骂槐**，尖酸刻薄，多是数落丈人的不是。高广就更加恼怒，到哪个女儿家都免不了大吵一场。几年间弄成了谁也不欢迎的老厌物了。

女儿家住不成，祖屋无法住，侄儿家不好意思去，又身无分文，**高广走投无路**，气愤女儿榨干了钱财，就嫌弃他，又没脸向谁诉说。就走到路旁一座古庙里，放声大哭。哀叹自己做了一世的读书人，老来落得女儿不孝，无家可归，还要这条老命做什么？就向菩萨哭告一番，准备自尽。

别去死啊！应该到官府告她们。

无巧不成书，高文明收完债回家，从庙门口路过，听见哭声凄惨，进庙一看，见是伯伯。吃惊地问："为什么这样伤心？"高广就把女儿们如何骗完了银子，如何虐待自己的事哭诉了一遍，说："我宁愿死在这里，也不到她们家去了！"高文明说："妹妹们是女人家，何必

> 指桑骂槐（huái）：表面骂这个人，实际骂那个人。
> 走投无路：比喻处境极为艰难，找不到出路。

跟她们计较，不去就不去吧，何必寻死呢？"高广说："我已经无家可归，不死到哪里去呢？"高文明恳切地说："侄儿虽然不富，伯伯还供养得起，就到我家去吧！"高广觉得平时没给侄儿什么好处，死活不愿去。高文明不由分说，拉了伯伯就往家里走。

高文明的妻子勤劳贤惠，见伯伯住到家里，连忙**嘘寒问暖**，端来酒饭，让高广吃。老汉又向侄儿侄媳哭诉女儿们的可恨。他们不嫌唠叨，只是劝解。这样，高广就在侄儿家住下了。

> 嘘（xū）寒问暖：形容对别人的生活十分关切。
> 倔犟（ juè jiàng）：性情刚强不屈。

女儿们知道父亲在堂兄家住下了，心里巴不得这样，又装模作样地来接。高广生性**倔犟**，怎么说都不去。

转眼过了一年。一天，高广正在侄儿家闲坐。一个公差走进门来，向他打问高广的下落。他说："老朽就是高广。"公差说："失敬！福建巡按李大人是您的学生，特来拜见。"说完就走了。

高广叫来高文明，说了这件事。任儿问他们是怎么认识的。高广说："我在沂州做教官，一个学生家中贫寒，连拜见钱都出不起。我就给他免了，也让其他教官免了。还送银子资助他。在东昌时，又向村里举荐了他。后来音信断了，只听说他中了**进士**。我已老了，不关心这些了。不想他还不忘旧情，来这里找我。"

不忘师恩，真是好学生。

　　正说着，一个人拿了红贴，奔进门来，递给高文明。高广连忙把旧日的教官冠服穿戴好，出门迎接。

　　此时，李巡按已走下船来。见了高广，口称恩师，笑容满面，作揖行礼。师生互相谦让着携手走进了高家的草堂。巡按命铺了毡，倒地拜了四拜，又敬酒、送礼银十二两。

　　两人谁也不肯上坐，只好相对坐下。巡按诚恳地说："**感念**恩师昔日的栽培，日夜想念。上任途中，绕道拜访恩师，不想住地这样偏僻。"高广说："可怜！可怜！祖居

> 进士：科举时代通过最高一级考试的人。
> 感念：因感激或感动而思念。

荒废，我已无家可归，这是侄儿的家。"说到伤心处，老泪纵横。巡按心中不忍，说："到任后，来接老师前去散心。"两人说了一个多时辰话，巡按才乘船离去。

高广送完巡按回家，要侄儿把十二两银子收下，高文明却让伯伯留着自己用。伯父、侄儿推来让去，只好各收了六两。

> 荒废：①该种而没有耕种。②荒疏。③不利用，浪费。

李巡按拜见恩师的事惊动了太湖一带。高广的女儿们听说父亲给堂兄分了六两银子，心里有点不服气，又想只要老厌物不来她家，比什么都好，想来巡按也不会送银子了。

李巡按到福建三个月后，就派人把高广和高文明接到了他的巡按衙门。

高广和高文明刚到，李巡按就坐着轿子拜见，并且让别人走开，说了许多知己话。第二天下午，又在各衙门长官的作陪下，设宴为恩师接风。席间巡按给老师夹菜敬酒，执礼甚恭，尊敬备至。大小官

尊师重教，这是中国人的传统美德。小朋友也要记住啊。

吏见巡按大人这样看重高广，都来拜见送礼，尽力奉承，请求在巡按面前为自己说好话。那些有求于巡按大人的，都来走高愚溪的**门路**。

过了半年，李巡按要回京复命，高广也收拾行李准备回家。**约略**计算，银子有两千余两，各种礼品不计其数。伯侄高兴，满载而归。

回到家，邻居们见到行李沉重，赀物堆积，高广发财的消息立即传开了。女儿们听到了，又捎话问安，表示要接父亲到家里住。高广只是冷笑，并不搭理，更不到女儿家里去。

她们已经伤透了老爸的心。

三个女儿见老父亲不肯来，约齐了来到高文明的家里。见了高广，一个个笑得脸上开了花，说："不知道怎么得罪了老爹，今天特来赔礼，请爹爹无论如何住到我们家去。"高愚溪冷笑，说："多谢，多谢！过去打扰得够烦了，再也不去了。"女儿们明明看到父亲满脸厌恶，仍然厚着脸皮，你一句，我一句，什么

门路：①做事的诀窍。②指能达到个人目的的途径。
约略：大概。

135

"亲不见怪呀"，什么"我们理应孝敬呀！"纠缠不休。高广无法，只得每人给了十两银子，**决绝**地说："我对得起你们了！以后我决不打扰你们，你们也决不要来纠缠我。"女儿们讨了个无趣，只得各自回家。

> 决绝：①断绝关系。②非常坚决。
> 怠(dài)慢：冷淡。

高广要把所有的银子交高文明收存，侄儿不肯，说："留着伯伯防老。"高广说："过去我一无所有，你都收留我，供养我，现在我有了这么多银子，你还会**怠慢**我？我不需防你，你收下，我倒心安。"高文明听伯伯说得恳切，只得收下。

高文明夫妇对伯父精心供养，极尽孝道。所有需求，无不满足。高广安度晚年，到死也没进女儿的家门。高广去世后，侄儿厚葬了他。所有遗产，都归高文明所有。这是高文明夫妇心地善良孝敬老人应得的好报。

好人有好报，此话果然没有说错。

学点英文

女 儿 : daughter
学 生 : student
儿 子 : son
争 吵 : quarrel

侄 儿 : nephew
眼 睛 : eye
抱 怨 : complain

鼻 子 : nose
积 蓄 : saving
伯 伯 : uncle

读读想想

1. 高广原来是做什么工作的？
2. 高广的三个女儿孝顺吗？
3. 高文明是怎样一个人？
4. 这个故事告诉我们一个什么道理？

红花场一案五命

明朝中期某年的一天，进士出身、祖籍四川新都的云南兵备杨佥事，收到了孤儿张宾和寡母联名告兄长侵吞家财，要求平分家产的诉状。

张寅也不想一想，杨佥事是省油的灯吗？

被告张寅是个**廪生**，阴险狡诈。为了独霸父亲留下的万贯家产，就凑了三百两现银和一把嵌金宝壶，一副镂丝金首饰给杨佥事行贿。恰好杨佥事是个又贪财又残酷的坏官，毫不犹豫地接受了这笔总数算来五百两的**贿赂**。

案子没来得及开审，杨佥事进京述职。因贪声太大被革了职，遣回四川老家。张寅得到消息后，心里很不痛快。心想，今年进京应试，途经四川时，一定讨回这笔银子，不然便宜了他。

应试日期将到，张寅带了四名家人到了成都。因为要去新都讨还

> **廪**（lǐn）**生**：明清两代称由府、州、县按时发给银子和粮食补助生活的生员。
>
> **贿赂**（huìlù）：用财物买通别人。也指买通别人的财物。

银子，怕行李留在旅店里不方便。找到了专门给外地人介绍歌女的游好闲，说要找一个年纪大些的老实歌女。游好闲问了张寅的姓名，就把他们主仆带到了歌女汤兴哥的家里。张寅见汤兴哥老练热情，心里高兴。就把行李搬到兴哥家里。

> 规劝：郑重地劝告，使改正错误。
> 寒暄：见面时的应酬话。

张寅和汤兴哥整天喝酒作乐。快活了几天后，就带着四个仆人到新都去讨银子，说好几天后来取行李。

杨金事虽然撤职回来，仍然横行乡里，为非作歹。他的兄弟是个安分守己的诚实人，多次**规劝**，他理都不理。兄弟生病临终时，怕杨金事对妻儿下毒手，就另立门户过活。

这时候杨金事已经准备下毒手了。

这天，张寅主仆到了杨金事的家里。**寒暄**过后，杨金事心里明知张寅来讨要银子，嘴上却东拉西扯，丝毫不提银子的事。张寅只好说明了来意。杨金事忽然变脸，说："老夫在贵处只吃着贵乡一口水,什么时候有过银子的事?"张寅狠狠地说:"我亲手交给你的,证据都在,怎么可以赖了呢?"杨金事见把柄握在张寅的手里,怕他告官,立刻改口说:"我年老善忘。得罪,得罪!只是这笔银子已做他用。等两天,我一定赔还。"张寅听见答应归还,放心了一些,就说:"那两件金器是祖传之物,还求发还。"杨金事冷笑说:"放心吧!请先**洗**了**尘**再说。"就叫仆人收拾酒席,给张寅洗尘接风。

杨金事起初想抵赖不还。张寅拿出证据后,想归还一半,了却此事。张寅提出要两件金器,这是他心爱的东西,多次在人前炫耀,哪里舍得归还,思来想去,顿生杀人恶念,一不做,二不休!断送了他们,云南偏远,哪个晓得?因此喝酒时就把主仆五个灌醉了,叫帮凶们送到红花场,杀死了他们,尸体就地掩埋。

张寅的两个儿子都是秀才,见父亲进京一年多了,**音讯皆无**。向

洗尘:设宴欢迎远道而来的人。
音讯皆无:没有一点音信。

二拍经典观止

京城里的熟人打问，都说没有看见，就到成都寻找。找了几天，得不到任何消息。兄弟俩就想找歌女解闷。接待他俩的是两个年轻的歌女，知道他俩是云南人，就取笑说："你们云南人专喜欢年纪大的，我俩大概不中你们的意。"这姓杨的早已是恶名在外了。

两个秀才问为什么这么说。她们就把一年多以前游好闲带一位云南人找大龄歌女的事说了出来。秀才们问云南人的年龄相貌，歌女们叫他们去问汤兴哥。

秀才们到汤兴哥家里问了年龄相貌，看了行李，认出那个云南人就是父亲。就找了个饭店住下，准备到新都去寻找父亲。

几天后，两个秀才到了新都县，向旅店的主人打听杨金事家住址。店主人伸伸

> 心狠手辣：心肠凶狠，手段毒辣。
> 清平世界：太平世界。

舌头说："你们外乡人，千万别惹他！这人**心狠手辣**，轻则官司害你，重则强盗抢你。冲撞了他，性命难保！"秀才们说："**清平世界**，杀人能不偿命？"店主人说："他偿谁的命？去年一个云南

141

人带了四个仆人向他讨赃款，一夜都被杀了，叫哪个来偿命？"

两个秀才听了吓得魂不附体，问店主人是怎么知道的。店主人说是杨家的管家纪老三告诉

真凭实据：真实可靠的凭据。
水落石出：比喻真相大白。

他的。还劝秀才们快离开这里，不要管闲事。

两个秀才知道父亲被害，背地里痛哭了一场。回到成都后，就到四川巡按察院石公处告状。石公了解杨金事不少罪恶，知道状告属实，但没有**真凭实据**。就把秀才们唤入后衙，说："你们状告，本院一定查个**水落石出**。被告心肠狠毒，耳目众多。你们快点回去，免得受害。本院查访确实后，告知你们到这里鸣冤。这事千万不可泄露。"两人谢恩，回云南去了。

石察院命极有才能的部属谢廉使主办张寅等失踪一案。谢廉使让两个极富侦察经验的承差史应、魏能秘密察访，弄清案情。

史应、魏能了解到杨金事家里有个红花场，有好多红花急等

石公：干什么都得讲证据，没证据可不能乱抓人。

142

耿（gěng）直：正直、直爽。
投机：①见解相投。②利用
时机谋取利益。

买主。在征得谢廉使同意后，扮作收买红花的客商来到新都。找到了杨家专管卖红花的管家纪老三，并送了些土特产给他。纪老三满面春风，酒席招待，当晚就在场上的庄屋里住下。第二天看了红花，讲好了价钱，付过了银子，主客都非常高兴。纪老三生性**耿直**，喜欢结交朋友，觉得史应、魏能诚恳随和，三人就结拜为异姓兄弟。并且排了次序，拜了神，设了誓。决心彼此无欺，患难相救。

一天，三兄弟在一起喝酒。酒喝得快活，话说得**投机**。魏能说："纪三哥招待我俩，样样周到，只是住处不好。"纪老三问是怎么一回事。

魏能说："夜里想睡个好觉，可老听见鬼叫，小弟胆小，就直说了。"史应证实确有鬼叫，他也听见了。纪老三点点头，说："想必是云南那几个冤鬼。"史应、魏能装作知道这件事，说："你们积点阴德，把尸体埋了，省得他们

纪老三还不算是个坏人，可他也不应该做坏人的帮凶。

每夜叫。"纪老三说："尸体埋过了。"史应说："外边人都说尸体抛了，纪三哥说埋了，埋了他们还叫什么？"纪老三为证实确实把尸体埋了，就带领史应、魏能指认了掩埋尸体的地方。史应斟了一大碗酒，装模作样地**祭奠**了一番。两人把埋尸的方位、周围的环境牢牢地记在心里，就回去继续喝酒。第二天，史应、魏能告诉纪老三，夜里果然安宁了。两人和纪老三告别，要回成都去。

两个办案的果然精明，真有福尔摩斯的风采。

史应、魏能回到成都后，把找到张寅等尸体下落的情况禀报给谢廉使。谢公要求他们一旦纪老三到成都，立即报告。

春节快到的时候，纪老三趁到成都办年货的机会，看望史应和魏能。史魏两人一边陪纪老三喝酒，一边派人报告了谢廉使。三人正喝得高兴，来了两名公差，说："**奉**谢公命请纪管家问话。"纪老三说："一定是为我们主人的事，不然找我干什么。"史魏两人说：

祭奠（jì diàn）：为死去的人举行仪式，表示追念。
奉（fèng）：接受。

"若为主人的事，就实话实说，想来不会吃亏的。"史应陪着同去。

谢廉使在私衙对纪老三说："你家主人杨金事杀人犯法你可知道？"纪老三对杨金事的横行不法早已不满，就说："知道一些，只是有主仆名分，不敢明说。"谢公说："如实说了，不问你的**包庇**罪。"纪老三就把张寅讨银子，杨金事如何灌醉，如何杀了埋在红花场等情况详细讲了一遍。谢公看他诚实，就不为难他，暂时收监。

> 包庇（bì）：袒护或掩护坏人、坏事。
> 心怀鬼胎：心里有不可告人的事。

大年除夕，杨金事与妻妾们正在吃年夜饭，仆人报告知县来到家门口。事出突然，杨金事无法躲避，只好**心怀鬼胎**，硬着头皮出来相见，说："大年夜，大人有什么事？"知县说："按台大人相谢，要老先生走一趟。"知县连夜把杨金事解赴成都，并派人到红花场掘出了尸体。

大年初一，

谢廉使升堂审问张寅被杀一案，杨金事百般**狡赖**，坚决不说实话。纪老三当堂作证，杨金事说是仆人挟私诬陷。当新都县巡捕把五具遗骨摆上公堂后，杨金事在铁证面前无话可说，推脱说酒醉触怒，做了错事，请看在缙绅面上，从轻发落。谢公大怒，骂道："你不仅是缙绅中的**衣冠禽兽**，还是禽兽中的豺狼。"当下把杨金事押入监牢，放纪老三回家。

这样死太便宜这个恶人了。

张寅的两个儿子得知杨金事入狱，星夜赶到成都。先认领了父亲及家人们的尸骨，又到公堂上和杨金事当面对质。谢廉使又查出了杨金事好多罪恶，就定了凌迟处死罪。并报请上级批准。

杨金事受不了牢狱之苦，不等批文下达，就死在了狱中。他没有儿子，全部家产归了

狡赖（jiǎo lài）：狡辩抵赖。
衣冠禽兽：穿戴着衣帽的禽兽。指行为卑劣如同禽兽的人。

二房八岁的侄儿。

　　在云南，县官把张家的财产一分为二，张宾一份，两个侄儿一份。双方都很满意。

学点英文

孤儿：orphan　　　案子：case　　　行李：luggage
消息：news　　　　仆人：servant　　热情：warmly
证据：evidence　　年纪：age　　　　住址：address
旅店：inn

读读想想

1. 杨金事收了张寅什么贿赂？
2. 张寅的两个儿子是如何打听到父亲下落的？
3. 史应、魏能是怎样察访出案情的？
4. 杨金事得到了什么下场？

神偷懒龙传奇

苏州城东有座玄庙观，观前有条第一巷，巷内有一个人们不知道真名实姓却大名鼎鼎的神偷。他爱睡懒觉，且手段高强，**变幻莫测**如龙一般，人们都称他"懒龙。""懒龙"有几样看家本领：会穿着靴子在墙壁上走路；会说全国各省的方言；可以几夜不睡；可以连睡几天不醒；可以几天不吃不喝；可以八斗酒、九斤饭不饱；鞋里衬上稻草灰，走路没有一点声音。加之他身材小巧，胆大机智，**绣屏画阁**之中，楼亭屋檐之下，既是他睡觉的地方，也是他施展手段取得财宝的场所。得手后，还在失主的墙壁上画上一枝梅花。为此，人们又称他"一枝梅"。

太神了，简直赶得上"超人"了。

"懒龙"虽然是小偷，却对自己有几条规定：不奸淫妇女；不偷善良和贫穷人家的东西；答应别人的事，一定办好。懒龙**仗义疏财**，偷来的东

变幻(huàn)莫测：不规则地改变，使人无法预测。
绣屏画阁：刺绣的屏风，雕画的楼阁，都是比较高雅的地方。
仗义疏财：讲义气，轻钱财。多指拿出钱来帮助有困难的人。

西随手分给贫穷的人。他认为这是**损有余补不足**。这样,他的名气越来越大,很得人心。

嘉靖年间,太湖边上一座墓被盗。陪葬品被洗劫一空,棺材和尸骨被暴露在荒郊野外。懒龙看了不忍,出银子雇人重新掩埋,还用酒菜祭奠了一番。祭奠完在草丛中拾到一面四五寸直径的铜镜。这镜子

> 损有余补不足:从多余的地方拿来贴补缺少的地方。
> 寻短见:指自杀。

面上金光闪烁,背后苍翠青绿,夜里照得周围如同白昼。有了这面宝镜,懒龙夜间行动起来就更方便了。

一天夜里,懒龙本来要到一个大商人家里去取一笔银子,却误入一个贫穷人家。一时出不去,只好躲在茶几下。这家两夫妻正在吃饭,丈夫愁容满面,说:"欠了债,没办法还,我还是死了好。"妻子说:"你怎么能死,还是把我卖了吧!"夫妻俩失声痛哭。懒龙听得心酸,跳出来

这是贼还是大侠?懒龙真像侠盗罗宾汉。

说:"不要害怕,我是懒龙。我会送二百两银子给你们,帮助你们做生意。千万别**寻短见**。"说完就走。没有多久,一只装有二百两银子

149

的布袋丢进了这家门里。夫妻俩非常高兴,写了个懒龙的牌位,终生供奉。

一天,懒龙在街上看见一个衣服破旧、用扇子遮着脸走路的人,觉得奇怪。拉住一看,是自己小时候最好的朋友。就约他第二天晚上到一家**为富不仁**的财主家去拿钱。

第二天夜里,懒龙叫朋友在墙外等,自己攀树进入那户人家。朋友等了好久,不见懒龙出来,几只狗来咬他,他跑着躲避。听见墙内水响,懒龙

懒龙的话大家可要记住,要努力上进啊。

已从树影中跳落地面。对朋友说:"银子已经到手,外面狗咬,惊醒了主人,我只好丢掉了。这是你的命薄!"朋友只好叫苦。

过了几天,听不到那家失窃报案的消息。晚上,懒龙把前几天放在那家水池里的一箱金银背了出来,全部交给那位朋友,自己分文不取,还说:"这够你一生使用了,好好做人,不要学我懒龙的**混账**样子,不像个人样。"贫穷朋友感激不尽,用这金银作本钱做生意,后来变得很富有。

神偷懒龙的名声传到了卫中巡捕张指挥的耳朵里,他不相信,就派人把懒龙抓来。问他:"你

> 为富不仁:富裕但不仁义。
> 混账:言语行动无理无耻。

是贼头吗？"懒龙说："我没有做过贼，怎么是贼头？我没有一件赃证落在官府手里，也没有一件盗窃案**涉及**我。平时在朋友间玩些小技巧，倒是有的。"张指挥见他身材小巧，言语爽利，说是贼，又无赃证，打算放了他。恰巧有人送一只红嘴绿鹦哥给张指挥，指挥笑着说："人家说你神通广大，你今晚若能把这只鹦哥偷走，我就服你。"懒龙答应了，张指挥放了他。

夜里，张指挥命令两人寸步不离地看守着挂在檐下的鹦哥。半夜以后，军人们瞌睡难忍，尽管迷迷糊糊，也不敢离开半步。三更时分，懒龙挖开屋顶上的椽子下到书房。只见衣架上有一件张指挥的绸披风和一顶头巾，墙壁上挂着一盏写有"苏州卫堂"的小灯。他把衣

> 涉（shè）及：牵涉到，关联到。
> 朦胧（méng lóng）：不清楚，模糊。

巾穿戴好，点起灯笼提在手上，装着张指挥的步态踱到屋檐下。这时月色**朦胧**，灯笼又被懒龙放在远处，四周一片昏暗。两个军人正在打盹，懒龙模仿着张指挥的腔调轻轻地说："天快亮了，不必守了，出去吧！"一边说，一边伸手提了鹦哥笼子进中门，回书

"懒龙"那么厉害，还搞不定这点小事？！

房去了。

　　天明以后，张指挥发现鹦哥不见了，就把两个军人叫来责问。军人说："五更时大人提了鹦哥，命我们回去，怎么倒问我们呢？"张指挥在书房的顶上发现了橡孔，心里明白是怎么一回事了。这时，懒龙也把鹦哥送了回来，并说了偷鹦哥的经过。张指挥又惊又喜，从此对懒龙另眼看待。

　　苏州附近的无锡知县**贪赃枉法**，衙内搜刮的金银财宝堆积如山。懒龙想取些

> 贪赃枉法：收受贿赂，歪曲、破坏法律。
> 张目：助长某人的声势。

不义之财分给穷人。夜里潜入官舍，把一只装有二百多两纯金的小匣拎了出来，并在墙上画了一枝梅花。

　　二三天后，知县发现金子被盗，立即命令应捕抓贼。应捕们说："金子是神偷懒龙偷的，就是不敢捉他，抓他必招大祸！"知县大怒，骂应捕为贼**张目**，限令十日拿到，否则以通贼论处。应捕们没办法，只好到苏州捉拿懒龙。

　　应捕们刚到苏州，就在阊门口碰到了懒龙。神偷拉二位应捕在一家酒馆里坐下，从从容容地说：

明知道抓不到。苦了这些当差的。

"知县要抓我,我怎好连累二位?请你们宽限一天,我给知县送个信,他必然撤消拿我的限令。再说,我拿的金子和两位平分了,抓了我对你们有什么好处呢?分给你们的金子已埋在你家的瓦沟里。不信,回家去找!"应捕们知道神偷厉害,就说:"就宽限你一天吧。"

第二天夜里,懒龙潜入无锡县衙的后院,剪下知县小老婆的发髻,装入知县的印箱,又在墙上画了一枝梅花,转身走了。

第二天早晨,知县知道小老婆丢了发髻,又惊又怕。后来在印箱的大印下面发现了被剪下来的头发,吓得目瞪口呆。心想,这是懒龙警告我:追得急了,我的头可以割去,大印也可以盗去。这贼果真厉害!丢失金子事小,保印保命事大。立即派人招回了那两个应捕,马上撤消了抓捕懒龙的命令。

库存监守
苏州府

这库吏不长眼,惹上懒龙有他好果子吃吗?

两位应捕在自己家的瓦沟里果然各找到了一包金子。这才知道懒龙**言而有信**,非常佩服。

神偷懒龙的名气越来越大。有人干了坏事,人们会**无端**地怀疑到懒龙的身上。苏州府的银库里

> 言而有信:说出的话有信用,讲信义。
> 无端:无故。

丢失了十多锭大元宝。府衙内上上下下都怀疑是懒龙偷的，其实不是。懒龙为了洗刷自己，决心把这个案子弄个水落石出。懒龙想，银子数量大，别人偷了，怎么运得出去？可能是库吏**监守自盗**。夜里就到库吏房中偷听。只听库吏对妻子说："我拿了库银，大家都怀疑是懒龙干的，可懒龙怎么会承认？先下手为强，明天我把他做贼的事写成状子，向知府告发，不怕知府不拿懒龙当我的替罪羊！"懒

> **监守自盗**：盗窃自己看管的财物。
> **算卦**：根据卦象推算吉凶。

龙听了，心想不好，这事本来和我不相干，现在库吏要栽赃诬陷，官官相护，我怎么能辩得明白？三十六计，走为上策，就连夜逃到了南京。

苏州府太仓有个张小舍，是一位因善识贼而

远近闻名的捕探。偶然在南京街上发现了扮成瞎子替人**算卦**的懒龙。一把扯住，说："你偷了府库中的元宝，逃到这里，装扮成瞎子，怎能瞒得过我这双眼睛？"懒龙说："连你都这样说，

就怨不得别人怀疑我了。银子是库吏监守自盗，我已从他们夫妻的私房话中窃听得明明白白。他要诬陷我，我才逃到这里。你赶快回去向知府揭发，不仅能得到一笔赏钱，我也有酬谢。"

张小舍回到苏州，揭发了库吏，查出了赃银，果然得到官府的重赏。过了几天，再次出差到南京，又碰见了懒龙，说："苏州的库银失窃案已经了结，原先答应的**酬谢**忘了吧！"懒龙说："怎么会忘呢，到你家的灰堆中去看吧。"张小舍果然

> 酬谢：用金钱礼物等表示感谢。
> 一诺千金：形容诺言的信用极高。

从自家的灰堆中找出了一包金银，还有一把白晃晃的快刀。张小舍心想：这个狠贼！虽然用金银谢我，又放一把刀，警告我以后不要缠他。不知什么时候放下这些东西，真是神偷！我以后再也不敢惹他了。

苏州的冤枉洗清以后，懒龙金盆洗手，再不干偷盗的事了。住在长干寺中，靠卖卦度日。几年以后，生病去世。懒龙做了大半生贼，却没有被官府抓过一次，而且劫富济贫，**一诺千金**，不爱银钱，算得上盗贼中的大侠了。

做了大半生贼，又干了那么多好事。他是好人呢还是坏人？

学点英文

小偷 : thief	龙 : dragon	贫穷 : poor
善良 : kind	镜子 : mirrow	瞎子 : blindman
技巧 : skill	半夜 : midnight	咬 : bite
警告 : warn		

读读想想

1. "懒龙"为什么被称作"一枝梅？"

2. "懒龙"偷过穷人吗？

3. "懒龙"是如何警告无锡知县的？

4. "懒龙"金盆洗手后靠什么生活？

花烛夜新娘失踪

苏州府嘉定县有一户姓郑的殷实人家。女儿蕊珠，体态**婀娜**，脸似桃花，已许给了本县的谢家三郎，这个月就要出嫁。按照嘉定风俗，出嫁前三天要请专职的男性**栉**工整容开面。

郑家请的栉工叫徐达。这人虽然年轻，却是个生性奸诈、心肠狠毒的好色之徒。他学开面，又学司仪的目的就是借参与婚筵的机会，偷看新娘，趁机干些伤天害理的坏事。这天，他给蕊珠篦头剃脸，见她长得如花似玉，就起了坏心思，只是前后都有人，他不敢越轨。郑父见他这样轻薄，活一干完，就打发他走了。

徐达哪里甘心！就设法到谢家做了傧相。结婚那天，郑父见出来迎接的又是徐达，心里叫苦不迭。婚礼进行中，徐达的眼睛只在新娘身上转，哪有心思尽司仪的职责。仪式喊得七颠八倒，亲爹喊成亲妈，拜过

婀娜（ē nuó）：柔软而美好。
栉（zhì）：梳头发。

157

了岳父，又请丈人爸，搞得**一塌糊涂**。

拜过堂，新娘入了洞房，堂上婚宴开席。新郎、谢父陪亲友和众宾客饮酒，徐达本该主持，却不知哪里去了。过了一会儿，又慌慌张张从后面走了出来。谢父见他不尽职守，老出差错，本想责备几句，却又不见了他的踪影。

> 一塌糊涂:乱到不可收拾。
> 惊惶(huáng):惊慌。

谢三郎陪了一会儿客人，到新房去看新娘。可新房里哪有新娘！厨房、后院都找遍了，就是找不见。到后门一看，门关得好好的。只得到堂前说了这事，全家**惊惶**不安。郑父说："这傧相态度轻薄，行为慌张，肯定不是好人！"谢家的人说："他要把新娘子拐跑，一定是开了后门从后巷里跑了。然后又回头来把后门关好，到堂前绕一圈，使人不疑。快去找，他跑不了。"

两家主仆十几个人，点了火把，开后门追赶。远远看见有三个人走着，听见有人追赶，前面两个人飞快地逃掉了。抓住后面那一个，火把一照，正是徐达。众人喝问："把新娘子拐到哪里去了？"徐达抵赖说："新娘子在你家里，我做傧相的怎么知

道？"大伙打的打，拉的拉，把他带回家里，绑在柱子上，又问他。他怎么也不肯说。谢父说："这种**顽皮赖骨**，怎肯给我们说实话！天明送到衙门去，看他老实不老实。"

> 顽皮赖（lài）骨：不听劝导，完全的无赖作风或行为。
> 游手好闲：游荡成性，不好劳动。
> 枯（kū）井：干涸的井。

天亮以后，谢家父子把徐达押到了县衙。知县听了案情，惊异地说："有这种怪事！"审问徐达，他百般狡辩。知县喝叫："用大刑！"徐达是个**游手好闲**的小人，哪里熬得住？就老实招供说："小人见新娘美如天仙，就先约了两个同伙，埋伏在门外。婚礼结束后，小人到洞房中哄骗新娘，说还要行礼，把她引到后门，后门外的同伴把她拉了出去。我关好后门，到了前堂。一会儿从前堂出大门，抄小路到了后巷，追赶他们。四个人正走着，忽听后面有人追来，知道已经败露。我怕跑不脱，就把新娘藏在路旁一口**枯井**中。后来，同伙逃掉了，小人被捉来了。现在新娘还在井中。"

知县：这种坏家伙根本听不懂人话，不过一用刑他马上就能听懂了。

肃静

知县录了口供，派公差押了徐达，会同郑谢

两家人，到那口枯井旁查看。只见枯井黑洞洞的，郑家人呼叫女儿，不见一点声响。以为蕊珠已死，打得徐达杀猪似的嚎叫。

人们用竹兜把一个仆人吊入井下。仆人一看，井底泥土松软，却没有水。果真有一个人，就抱起来放入竹兜，井上的人吊了上来。

涂达：做坏人可真没前途，简直比过街老鼠还惨。

众人一看，惊呆了！吊上来的是一具头颅开裂、血肉模糊、满脸大胡子的男性尸体，哪里是新娘子！上井后的仆人说："井底还有一块大石头，别的什么也没有了。"众人奇怪，**百思不得其解**。郑父气得又打徐达。徐达嚎叫说："我藏的是新娘子，怎么变成了大胡子，只有天知道！"公差又叫附近的人辨认尸体，谁也不认得。

公差把情况报告知县后，知县一面写榜文四处张贴，寻找郑蕊珠的下落。一面把徐达收监。每隔三天拷问一次，打得他皮开肉绽。

再说郑蕊珠那天晚上被丢到井里后，知道被坏人拐骗，心里非常害怕。一会儿听到附近众

百思不得其解：怎么也想不出结果、办法。

人**喧哗**，就大声呼救。可是一来她声音弱细，二来人们吵吵嚷嚷，三来离井口远，谁也没听见她的呼叫声。一会儿，她什么声音也听不见了。

郑蕊珠在井底急得大声啼哭。天亮以后，她估计上面有人走路了，就扯着嗓子喊："救命！救命！"这喊声果然惊动了两个过路的客商。

这两位客商是河南开封府**杞县**人，一个叫赵申，一个叫钱巳。一同到苏州、淞江做买卖，赚了不少银子，回家路过这里。听见呼救，到井边一看，知道是个女人。就问："你是什么人，怎么在井里？"蕊珠说："我是附近谢家新娶的媳妇，被强盗拐骗，丢在井里，快救我，我家定有重谢！"

赵申钱巳觉得救人是好事。钱巳就用绳子把赵申吊到井下。赵申解下绳子，拴在郑蕊珠腰间，钱巳把她**拽**了上来。

钱巳一看救上来的是一个非常漂亮的年轻女子，就起了坏心。既想独占这个女子，又想独吞两人赚来的钱财。就在路旁搬来一块大

> 喧哗：大声地吵闹。
> 杞（qǐ）县：地名。
> 拽（zhuài）：拉。

石头，立在井边，照着赵申的头，狠狠砸了下去。可怜赵申毫无提防，被砸得头颅开裂，立刻丧命。

郑蕊珠见这人如此狠毒，吓得魂飞魄散。钱巳哄她说："别怕！他是我的仇人，因此哄他下去，结果了他的性命。"蕊珠心想，他可是我的救命恩人啊，只是不敢说，只苦苦哀求快些送她回家。钱巳瞪着眼睛说："说得好**自在**！救你出来，你就是我的人了，怎么能让你回家？我是开封杞县的富户，到我家

郑蕊珠：早知道我就随身带个高音喇叭了。

有享不尽的福。快跟我走！"蕊珠只是啼哭，不肯走。钱巳**凶相毕露**，发狠地说："再不听话，就把你推入井中，砸死你！"蕊珠怕死，又不认识回家的路，周围又没人救她。**万般无奈**，只好跟钱巳走了。

钱巳吩咐蕊珠，到家后，就说是从苏州娶来

自在：安闲舒适。
凶相毕露：凶恶的面目完全暴露出来。
万般无奈：非常不情愿但又没有办法。

的。有人问起赵申，只说还在苏州。

过了几天，郑蕊珠被带到钱巳家。

钱巳的老婆万氏，是一只刻薄狠毒的大醋缸。她见蕊珠服饰华美，面容艳丽，就千方百计地整她：拔了首饰，脱了衣服，给她穿破旧的粗布衣，干做饭、挑水等重活。稍有不如意，就拿根粗的木棒重重地打她。蕊珠哭着说："你家平白无故地把我抢来，为什么这样毒打我？"万氏认定她是小老婆，毫无顾忌地折磨。

钱巳隔壁有位心地善良、为人仗义的大妈，觉得蕊珠可怜。趁蕊珠到她家借东西的机会问她："看小娘子也是好人家的女儿，爹妈怎肯把你嫁到这里？遭这样大的罪！"郑蕊珠伤心地说："我哪里是爹妈嫁过来的！"大妈问到底是怎么一回事。郑蕊珠就把自己新婚夜被拐骗，扔到枯井的悲惨遭遇说了一遍。还说了钱巳打死赵申，**劫持**自己来到这里的事儿。大妈听了，愤恨

> 劫持：要挟、挟持。

万氏和钱巳可真是天生的一对，都是坏家伙。

不平，就鼓动蕊珠报告官府，说："钱巳治了罪，你就出了苦海了！"郑蕊珠顾虑自己也被治罪。大妈说："你受人劫持，有什么罪？我告诉赵家，让他们告状。公堂上你实话实说，包你无罪，还能回家。"蕊珠说："若能这样，就**重见天日**了。"

赵申家果真告了状，郑蕊珠当堂作证。钱巳无法抵赖，只好供认。知县说："杀人情真，只有口供，未见尸体。只能把犯罪嫌疑人押到嘉定县结案。"立刻把钱巳打了三十大板，押入大牢。郑蕊珠暂时住到大妈家。

坏人能风光一时，可绝对风光不了一世。

过了不久，钱巳等被押解到了苏州府嘉定县。那天，徐达正在大堂上挨板子呢！开封府杞县的公差递上公文，把带来的人一一点名验交。点到郑蕊珠时，徐达抬头一看，正是那个**失踪**的新娘，大叫："我不知挨了多少板子，你到哪里去了？该不是鬼吧？"知县问徐达："怎么认得这个妇人？"徐达说："她就是从井中失踪的新娘，不要再打小人了。"知县惊奇道："有这

> 重见天日：比喻脱离黑暗环境，重新见到光明。
> 失踪（zōng）：下落不明。

么巧的事！"

知县把郑蕊珠喊过来仔细盘问，又把公文认真看了一遍，觉得案情真相大白。井中死尸是赵申的尸体，又验准头骨碎裂确是石头砸的。就把钱巴判成死罪，押入死囚牢，等待秋后处决。徐达判拐骗**未遂**罪，判有期徒刑三年。郑蕊珠由丈夫谢三郎领回。赵申尸骨交其家属领回埋葬。钱巴独吞两人共赚的银子判归赵申家属所有。

至此，这件轰动一时的新娘洞房失踪案才算彻底了结。

未遂：没有达到目的。

学点英文

新娘：bride　　　　新郎：bridegroom　　　吩咐：tell
厨房：kitchen　　　同伴：companion　　　石头：stone
机会：chance　　　失踪：disappear　　　秋天：autumn
惊奇：surprise

读读想想

1. 新娘是谁拐跑的？
2. 徐达后来讲的是实话吗？
3. 枯井里的新娘为什么变成一名男子？
4. 郑蕊珠最后是如何获救的？

无头尸引出人命案

明宪宗成化年间，徽州城里有个家资百万的富人，姓程，人们尊称他程朝奉。这家伙是个好色之徒，挖空心思勾引人家的漂亮妇女。不想由此惹出了一桩大祸。

徽州府岩子街有个李方哥，和妻子陈氏开了个小铺卖酒。陈氏虽是贫穷人家的妇女，却生得**丰采动人**，**千娇百媚**。程朝奉常来小铺买酒，一来二去混熟了，决心不惜血本勾搭陈氏。

> 丰采动人：人的仪表举止非常吸引人。
> 千娇百媚：非常地妩媚。

这天，程朝奉借打酒的机会，问李方哥经营小店，一年能赚多少钱。李方哥说："仅能餬口，就是赚了一二两，也要当作本钱，不敢乱花。"程朝奉表示愿意送三十两银子给李方哥夫妇作本钱，只是想借他们家一件既不摊本钱，又会原物送还的东西用。要他们夫妻商量，明天他带银子来，

人有钱更不能无德，否则灾祸来得更快。

听回话。

　　李方哥把程朝奉的话告诉了陈氏。陈氏想了想说："借别的他肯出那么多银子？一定是打我的坏主意。你是男子汉，不要被他哄骗了。"

　　第三天，程朝奉拿了一包银子来到小酒铺，问李方哥夫妇商量得怎么样了。李方哥见了银子，有些眼热，说："我们家哪有值钱的东西，除非小人两口子的身体。"程朝奉笑了："就要这个。"李方哥涨红了脸，说："朝奉不要开玩笑。"程朝奉说："不开玩笑。现钱买现货，愿意了成交，不愿意我也不勉强。"说完，就要收银子。

　　俗话说："清酒红人脸，黄金黑人心。"李方哥见程朝奉收拾银子，脸上流露出**贪恋**不舍的神色。程朝奉看在眼里，就塞给李方哥三两银子，说："这是定礼，事成后，再给三十两。"李方哥**半推半就**地接了。程朝奉晓得他已动了心，

貪恋：十分留恋。
半推半就：一边推辞一边接受。

说："我过一会儿来，听你们的回话。"

李方哥进到里屋，向陈氏说了刚才的一切，并说："我们辛苦一年，也挣不到几两银子。既然他肯在你身上花钱，就给他一点甜头尝尝。"

陈氏听了生气，说："见了银子，就不顾羞耻卖老婆！"李方哥说："哪是我不知羞耻？世道混乱，我们这样人家，即使守一辈子清白，也没人给你立**贞节牌坊**，不如忍着一时耻辱，落得享受一辈子。"陈氏穷怕了，见丈夫说得有点道理，就**默许**了。李方哥说："我今晚请他到家里来喝酒，你陪陪他，我到外面避一避。"陈氏终于答应了。

> 贞节牌坊：古时为不改嫁、不失身的女子立的碑。
> 默许：暗示已经同意。

李方哥找到程朝奉，说请他晚上到家里喝酒。程朝奉知道对方同意了，答应一定赴约。

傍晚，程朝奉打扮得整整齐齐，要到李家去喝酒。不料在街上遇到一位朋友，被硬拉去喝酒。待他逃席到李

程朝奉这下可惨了，四处招摇终于惹祸上身。

家后，已是二更时分。

到李家他看见满桌酒菜，遍地鲜血，一个没头的妇人躺在血泊里。吓得浑身打颤，赶紧离开李家，回到自己家中。

再说李方哥在朋友家混到半夜，回家一看，老婆已成了一具无头女尸，又惊又怕，放声大哭。

心想这一定是老婆冲撞了程朝奉，程朝奉杀了她。于是，就跑到程朝奉家里，哭着**质问**："你为什么杀了我老婆？"程朝奉辩白说："我到你家，她已被人杀了。怎么是我杀的？再说我心里爱她，**奉承**还来不及，怎么舍得杀她？"李方哥一口咬定人是他杀的，程朝奉死活不认账。一直吵到天已大亮，两人拉扯着到知府衙门口告状。人命关天，知府王通判先到李家店中验了尸，然后升堂审问。

李方哥是原告，说："我和老婆陈氏开了个小酒铺，程朝奉看上了我的老婆，以买酒为由，要欺负她，

> 质问：询问，责问。
> 奉承：用好听的话恭维人，向人讨好。

这个当官的算得上个好官，没有轻易下结论。

老婆不肯，他就杀了她。"程朝奉争辩说："李方哥请我喝酒，我去得迟了些，没有见到李方哥，只看到了他老婆的无头尸体，这事与我无关。"

王通判听了两人说的话

> **矛盾：**①对立的事物互相排斥。②两个事物中只能一个存在的状况。
> **游方和尚：**云游四方的和尚。

有**矛盾**，就问李方哥："既然请人喝酒，为什么不在家作陪，跑到什么地方去了？"觉得他们隐瞒了事实真相，喝叫给两人上夹棍。两人吃不住刑，只得说出了实情。

王通判想判程朝奉杀人的死罪，但一则死者无头，二则没有杀人凶器，就责令程朝奉去寻那颗人头。程朝奉挨了好多板子，人头始终找不到。就说："即便我杀了人，要那颗人头做什么？"

王通判觉得程朝奉说得有道理，怀疑这妇人是别人杀的，就把李方哥的邻居找来调查。别人都提不出有用的线索，只有一位老者说："近一个多月来，有一个远处来的**游方和尚**，每天晚上

敲着梆子高叫，求人**布施**。自从李家妇人被杀后，这个和尚就不见了。若说云游到别处去了，哪有这么凑巧，我觉得和尚可疑。"

王通判觉得老者的话有道理。就命程朝奉拿出三十两银子做偿金，十两银子做路费，让衙门里的捕快们四处缉拿和尚。

和尚这么胆小，怎么当时就敢杀人呢？

捕快们耳目众多，不到一年，就查访到这个和尚住在宁国府一座古庙里。他们知道没有证据，不能随便抓人，就商量好了智取和尚的妙计。

捕快们让一个年轻的捕快装扮成女人模样，天黑以后，一同埋伏在和尚回古庙必经的树林里。守候到深夜，果然等着了和尚。那假装女人的叫道："和尚，还我头来！"和尚大吃一惊，隐约看见一个穿红衣的妇人，**胆怯**起来。假扮的妇人又厉声呼叫："和尚，还我头来！"连叫不止，一声比一声**凄厉恐怖**。

> 布施：把财物等施舍给人。
> 胆怯：害怕。
> 凄厉：凄凉而尖锐。
> 恐怖：由于生命受到威胁而引起的恐惧。

和尚吓坏了，颤抖着说："头不是在你家隔壁的铺架上吗？不要来缠我！"众捕快听了，知道是和尚杀了李方哥的老婆，就把他抓进了徽州知府衙门。

和尚见无法抵赖。就供认他夜晚经过酒铺门口，看见铺门未关，灯光明亮，妇人貌美，起了坏心，杀了妇人，把头放到了隔壁的铺架上，连夜逃走了。

王通判传来李方哥的邻居追查人头的下落。邻居说天明后发现人头，害怕受牵连，挂到赵大家门口的大树上了。再传赵大追查，赵大说："早起见树上挂着人头，心里害怕，想告官又怕受连累，就埋到自家的后园里了。还在跟前种了一棵小树作记号。"

王通判坐上轿子，带着衙役，来到赵大家的后园。在赵大指定的地方开始挖掘，不一会儿就挖出了一颗人头。可仔细辨认：虽然肌肉已腐烂净尽，可花白的胡须和头发依然还在。这说明是一颗死去时

王通判：这案子可真复杂。

间较长的老年男姓的头颅。王通判喝叫："把赵大绑了！"可赵大已趁着混乱逃跑了。

王通判立即审问赵大的老婆。她见无法抵赖，又怕受刑，招供说："十年前，赵大把一个姓马的仇人杀了。这颗头颅就是那姓马的老者的头。"王通判追问赵大的去向，老婆说，可能逃到女儿家里去了。

王通判很快派衙役从赵大的女儿家抓回了赵大。赵大见**铁证如山**，只好供认："姓马的原先和我有仇。十年前，我在山上遇见了他。当时我正在砍柴，就用

原来这赵大也不是好人。

砍柴刀杀了他。恐怕有人认识，我就剥了他的衣服，割了他的头，并把头埋在了后园里。马家的儿子不见了老爹，虽然在山中发现了无头尸体，但无法确认是他爹的**遗体**，不好认领。时间长了，马家就没人追究了。"王通判问："那妇人的头呢？"赵大说因为有马老汉的头埋在后园

铁证如山：证据确凿，不容辩解。
遗体：尸体。

里,埋妇人头的时候**特地**做了记号。哪知一挖反而把马老汉的头给挖出来了。妇人的头肯定在那附近。王通判又叫人去挖,很快把妇人的头挖了出来。王通判见人命案真相大白,高兴地说:"一个命案,却查出两颗人头,莫非这是天意!"

王通判押着赵大,带了两颗人头,回到知府衙门。把和尚和赵大各打了三十大板,判了死罪,等待秋后斩决。让马家的儿子领回他父亲的头颅安葬。命程朝奉拿六两银子,给李方哥掩埋陈氏。

程朝奉见美色而起坏心,不仅没有**得逞**,反而费了好多银子,又坐了一年多的牢。李方哥想靠老婆的姿色骗钱,反而葬送了她的性命。赵大杀人,久无对证,终究挖出人头,落了个杀人偿命的下场。可见,人起了歹心,干了坏事,天理

特地:专门。
得逞(chěng):成功。

李方哥不该起贪心,程朝奉更是得好好吸取教训。

174

不容！必得报应！

学点英文

百万：million　　漂亮：beautiful　　玩笑：joke

身体：body　　　羞耻：shame　　　同意：agree

鲜血：blood　　　线索：clue　　　　恐怖：terror

和尚：monk

读读想想

1. 程朝奉晚上来到李家，看到了什么？

2. 和尚为什么怕那个假扮的女人？

3. 赵大家后园里为什么有两颗人头？

4. 这个故事讲了一个什么规律？

五龄童巧计捉贼

　　这年是宋神宗当政的熙宁年间，适逢元宵佳节，各种形状奇巧的花灯把京城汴京装扮得**流光溢彩，花团锦簇**。特别是皇帝亲临，与民同乐的宣德门一带，更是光彩夺目，美不胜收。

　　按照当时的风俗，正月十五是元宵节最热闹红火的正日子。这天晚上，襄敏公王韶家的大人、小孩，甚至仆人、丫环和京城的达官显官平民百姓一样，打扮得漂漂亮亮，准备上街赏玩花灯。襄敏公有位五岁的小儿子，名叫南陔（gāi）。

现在每年的正月十五我们也要打灯笼，放烟火的。

容貌俊美，聪明乖巧，是全家大小的掌上明珠。他穿着华丽，头上戴的那顶珠帽，镶着猫儿眼、祖母绿、鸦青等名贵的宝石，少说也值千来贯钱。南陔由家人王吉驮在背上，和家中的妇女们一道，上街赏灯。

　　一家人到了宣德门

流光溢彩：光流动闪烁，颜色丰富多彩。

花团锦簇：形容五彩缤纷，十分华丽的形象。

前，恰好宋神宗驾临宣德门城楼。此时，楼上灯光灿烂，楼下箫鼓喧天。看灯的人人山人海，你拥我挤。王吉夹在人堆里，背上又驮着南陔，

> 惬(qiè)意：满意，称心，舒服。
> 忘乎所以：由于过度兴奋或骄傲而忘记一切。
> 平心静气：心情平和，态度冷静。

看得不大**惬意**。忽然觉得背上轻松了许多，因一时被奇巧的花灯吸引，**忘乎所以**，只是呆呆地向城楼上看。猛然想道："小公子呢？"急忙回头看时，已不在背上。四下里找寻，不见了踪影，顿时心慌意乱。王吉赶紧从人堆里挤出来，向府里的其他人打问，都说没有看见。府里的人惊慌不已，连忙分头寻找，哪里找得到呢？

仆人们心惊胆战地向王韶报告，说要报开封府，让他们派人寻找。可襄敏公毫不着急，说："去了自然会回来，何必着急呢？"仆人们不懂老爷的意思，就报告了夫人。夫人急得手忙脚乱，和王韶商量。襄敏公**平心静气**地说："若是别的

知子莫若父。南陔肯定不是普通的小孩子。

孩子走失，就应赶快寻找。南陔丢了，一定会回来，用不着忧虑。"夫人对襄敏公的沉稳深为不解，说："再伶俐也只是五岁的孩子，又在人堆里挤丢了，怎么能回来？"说着便泪如雨下，埋怨襄敏公不把儿子放在心上，自己派人四处寻找。

再说南陔，那天晚上正在拥挤不堪的时候，忽然有人把他轻轻地举了过去，仍然驮着。

> 眼花缭（liáo）乱：眼睛看见复杂纷繁的东西而感到迷乱。

南陔贪看花灯，**眼花缭乱**，没有察觉自己落到了坏人手里。一会儿，他觉得驮他的人在人堆里乱挤，而且越来人越少。仔细一看，驮他的已不是王吉，就知道自己被坏人拐骗了。想要声张，四周又没看见一个熟人。心想，这人一定想要我的珠帽，就把帽子取下来藏在袖子里。南陔不说话，不慌张，装作什么也不懂，只让那人驮着走。

将近东华门，有四五顶轿子接连而来。南陔想："轿中坐的一定是大官，

南陔：哼！这么容易就拐了我？那我神童的面子往哪儿搁？

这时不呼喊求救，还等什么呢？"等到轿子靠近，南陔一把抓住轿子的**帷幔**，大声喊叫："有贼！有贼！救人！救人！"驮南陔的人突然听到他大声求救，又看到有许多护卫轿子的虞候、兵丁，大吃一惊，害怕被抓住，连忙把南陔扔下背，混入人群中逃走了。

这样的孩子保管是人见人爱。

轿中坐的是皇帝的近侍中大人。听见呼救声，停轿一看，见一个乖巧俊美**玲珑**可爱的小男孩。心里喜欢，抱过来问道："你是哪里来的？"南陔说："是贼拐骗来的。"中大人又问："贼呢？"南陔回答说："刚才我喊叫，逃走了。"中大人见他口齿清楚，言语明白，举止得体，越加喜爱，把他抱在膝上。轿子抬进东华门，到皇宫里面去了。

第二天早朝，中大人向神宗皇帝禀报说："奴才昨天在东华门外拾到一个走失的男孩，已领进宫来，这

帷幔（wéi màn）：帷幕，遮挡用的幕布。
玲珑（lóng）：精巧细致，灵活敏捷。

是万岁要得太子的好兆头，因此特来禀报。"此时，神宗还没有儿子，听了高兴，就让立刻领来见面。南陔见了皇帝，不慌不忙，戴好珠帽，像模像样地拜了三拜。神宗高兴得哈哈大笑，便

南陔真不简单，见了皇帝一点也不害怕。

问："你是谁家的孩子？知道姓什么吗？"南陔**一本正经**地回答："我是王韶的小儿子，姓王。"皇帝见他声音**清朗**，说话得体，更加高兴。又问："你怎么到这里来了？"南陔说："昨天晚上全家看灯，混乱中被坏人驮在背上，幸亏中

大人救了我。今天见到皇帝，真是万幸！"皇帝说："你年纪幼小，就这样聪明乖巧。王韶真生了个好儿子。你昨

一本正经:形容很规矩,很庄重。
清朗:清楚响亮。

天走失了，家里人一定非常着急，我今天就送你回家，可惜还没有抓住拐你的坏人。"南陔说："万岁要抓住那个坏蛋并不难。"皇帝听了惊奇，问："怎么不难？你有办法吗？"南陔说："昨夜

我发觉被坏人驮着，就把头上的珠帽脱下来。帽子上有绣花针线，是母亲替我插上避邪的。我用

> 见识：见闻；知识。
> 明察暗访：明里观察，暗里询问了解。

针线在那人的后衣领上缝了几针，针还插在衣内。万岁派人查时，看见衣领上有针线的抓来，一定就是那个贼了。"皇帝见他小小年纪，竟有如此**见识**和心计，觉得抓不住贼，连这个小孩子都不如了。就叫南陔先在宫里住几天，等抓到了那个贼，再送他回去。传旨把南陔送到皇后那里休息，又传旨开封府，限时捉拿贼人归案。

开封府尹接到圣旨，立刻唤来缉捕臣何观察，向他交待任务，并告诉他拐骗贼衣领上有针线为记号的事。何观察领受了任务，马上带领手下的一班缉捕，分头到茶坊、酒楼**明察暗访**，捉拿拐骗贼。

何观察：哎，这可真是大海里捞针。

再说那晚拐走南陔的坏蛋，是个惯偷，外号"雕儿手。"他有同伙十多人，专门趁人多热闹的机会偷抢财物。

181

元宵的晚上，他看中了南陔头上的那顶珠帽，一直跟在王吉身后，趁人多拥挤，就把南陔举过来驮在自己的背上。本来打算得了珠帽，孩子还可卖几两银子。

想不到孩子见了官轿会喊叫起来，更想不到孩子会在他的衣领上做了记号。只觉得没有被抓住便是天大的侥幸。

这一天，雕儿手和他的同伙们在一个比较僻静的酒楼里喝酒。以为这时人少，便**吆五喝六**，猜拳畅饮，毫无顾忌。刚好何观察手下一个叫李云的缉捕从这里经过。听见酒楼上大呼小叫，上楼一看，见这帮人**贼眉鼠目**，举止下流，心里已

吆（yāo）五喝（hè）六：形容盛气凌人的样子。
贼眉鼠目：形容神情鬼鬼祟祟。

有些数。李云一边叫店小二打酒，一边背着手踱来踱去，侧眼把那些人逐个打量了一番，果然发现一个人的衣领上有彩线作的记号。李云心里暗暗高兴，就对店小二说："且慢烫酒，我去街上

邀个朋友一起吃酒。"说罢，走下酒楼，打个唿哨，十几个公差闻声而来。李云等冲进酒楼，大喊："奉旨拿贼！"那十几个贼还没闹清是怎么回事，就被掀翻，捆了起来。

开封府尹升堂审问。贼人们见没有证据，虽然受了些皮肉苦，却不肯招认。府尹叫雕儿手脱下衣服验看，问他的衣领上为什么有彩线记号，还插着一根针？雕儿手回答不出。府尹告诉他："这就是你拐的那个小孩子给你特意做的记号。"铁证面前，雕儿手只好低头认罪。府尹又查出这帮歹徒偷抢财物、杀人越货、拐卖妇女儿童等许多罪恶，就把他们各打六十大板，下到了死囚牢中。

> **应答如流**：回答如流水一样顺畅。

皇帝得到开封府尹已审结这个案件的奏报，非常高兴，笑着说："果然不出南陔所算！"

皇后那天把南陔带回后宫，详细询问他的年龄、来历和家里的情况，南陔**应答如流**。皇后见他语言爽朗，口

二刻拍案惊奇

齿清晰，十分高兴，把他抱在膝上，逗他玩耍，还赏赐了好些东西。这天，皇帝下旨要皇后带南陔前去见驾。皇帝告诉皇后，拐骗南陔的强盗已**缉拿**归案，现在该送南陔回家了，免得他的家里人焦急。当下就传旨，令中大人送南陔回府。并且赏赐**金犀一籙**，让南陔赏玩。各宫的妃嫔也送了许多东西。

自从南陔丢失，襄敏公合家大小愁肠百结。夫人整日以泪洗面，只有王韶毫不在意。

这一天，忽然飞报，中大人手捧圣旨，已到府门。襄敏公慌忙跪接圣旨。只见中大人手里抱着南陔，全家喜出望外。中大人宣圣旨，襄敏公拜谢后，与中大人叙礼，正要问事情的**来龙去脉**，中大人从袖中取出一卷开封府抓获强盗的案卷，还说："王大人生了个好乖巧的儿子，真令人羡慕！"这

缉（jī）拿：搜查捉拿。
金犀（xī）一籙（lù）：竹箱装的金犀牛一筐。
来龙去脉：比喻人、物的来历或事情的前因后果。

184

时，南陔把他怎样给小偷作记号，怎样见官轿呼救告诉家里人。大家都称赞南陔聪颖过人，同时也佩服裹敏公的知子之深，先见之明。

学点英文

形状：shape 　　皇帝：emperor 　　宝石：gem

风俗：custom 　　忧虑：worry 　　袖子：sleeve

衣领：collar 　　年纪：age 　　皇后：queen

记号：mark

读读想想

1. 南陔是谁家的孩子？

2. 南陔是什么时候丢失的？

3. 南陔怎样救了自己？

4. 皇帝为什么喜欢南陔？

莫大郎智斗赵五虎

宋高宗赵构当政的绍兴年间，吴兴城里有一撮结成团伙害人的坏蛋。为首的是：铁里虫宋礼、钻仓鼠张朝、吊睛虎牛三、洒墨判官周丙、白

这就是古代的"黑社会"。

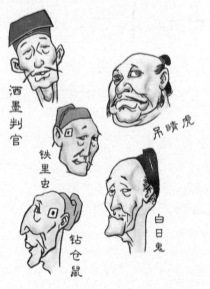

洒墨判官

铁里虫

吊睛虎

钻仓鼠

白日鬼

日鬼王瘪子。这帮家伙挑拨离间、**包揽**诉讼、敲诈勒索、**寻衅**闹事，无恶不作。老百姓对他们又恨又怕。因为他们曾在黑虎玄坛赵元帅庙里结拜过弟兄，又都改姓赵，人们都称他们为"赵家五虎"。

一天，吴兴城里有二三十万两银子家产的莫大财主病死了。赵家五虎聚在一起，密谋计议，认为他们发大财的机会到了。于是，一起到花楼桥来找卖汤粉的朱三夫妇。

朱三也和他们认识。见他们不请自来，忙拱手问："各位光临，有何指教？"吊睛虎牛三说："莫大财主死了，你们要发大财了，特来贺喜。"

原来，朱三的老婆双荷是莫家的丫环，十八

> 包揽：兜揽过来，全部承担。
> 寻衅（xìn）：故意找事挑衅。

岁时被已年近七十的莫财主欺负。怀孕五个月

> 嫁妆：女子出嫁时，从娘家带到丈夫家的衣被家具及其他用品。
> 骨血：子女后代。

后，莫财主为了遮丑，倒贴些**嫁妆**，把双荷嫁给了朱三。五个月后，双荷生下一个男孩。莫财主知道是自己的**骨血**，不时地给朱三家送些米面和银钱。朱三明知此事，为贪小便宜，也就认了。此时，这个孩子已十二三岁了。

朱三见吊睛虎话说得奇怪，就说："我们失去了依靠，今后日子更艰难了，还贺什么喜？"

铁里虫挑拨说："你家儿子是莫财主的骨血，他留下的万贯家产有你儿子一份。为什么不打官司，争遗产。"

赵家五虎知道朱三夫妇没有钱打官司，就给他们出了个坏主意，说："一切按我们的计划办，现在只给我们写张一千两银子的借据，衙门里由我们去上下打点。夺得家产后，银子本利还给我们，至于怎么酬谢，那时，你们看着办。"

朱三喜欢贪便

贪便宜肯定没有好下场，朱三夫妇要倒霉了。

宜，同意赵家五虎的鬼主意。并和老婆、儿子在借据上签字画押。

第二天，赵家五虎拿来了一身孝服，并对双荷的儿子说："到了莫家后要如此如此，这般这般。完了后，立刻出来，我们在莫家左侧的茶房里等你。"

古时父母死了，做子女的要守在灵位旁边以示哀

双荷的孩子也想见亲生父亲的最后一面，就穿了孝服，大踏步走进莫家的**灵堂**。看见灵帏，口呼亲爹，叩头跪拜，痛哭不止。孝堂里的人觉得奇怪，听见叫爹，更是**莫名其妙**。莫财主的老伴看见这种情景，勃然大怒，嚷着说："哪里来的野种，快给我滚出去！"

莫家的大儿子见多识广，沉稳持重。觉得事情蹊跷，后面必有坏人挑唆，劝母亲不要感情用事，免遭歹徒暗算。莫老太见儿子说得严重，就和其他人一起冷眼看事态变化。

灵堂：供人吊唁死者的屋子或大厅。
莫名其妙：表示事情很奇怪，使人不明白。

188

只见那孩子哭完后拜了四拜，转身就走。莫大郎上前拦住孩子，说："你不是花楼桥卖汤粉朱家的儿子么？"孩子说："是。"大郎说："你刚才拜了爹爹，也就该认了妈妈。"孩子在大郎的指引下，拜了妈妈。也认了大哥、二哥、大嫂、二嫂。这些事做完后，孩子按赵家五虎事先给出的坏主意，又要走。大郎说："你到哪里去？你是我的兄弟，父亲刚去世，你该在这里**居丧**守灵。这是你的家，还到哪里去？"又叫他的妻子给孩子洗了澡，换了新衣服。

> 居丧：守孝。
> 记挂：惦念、挂念。

孩子见这家人对自己这样好，心里很高兴。但是说，他留下要征得母亲的同意。于是，莫大郎派人把双荷找了来。

双荷穿了孝服，到莫财主的灵前祭奠。祭拜完以后，莫大郎对她说："你的儿子今天来，我们承认他是我们的亲兄弟，留在这里一起守灵。今后和我们同样分家产，你不用担心**记挂**。父亲在世时照顾你，今后照旧每月送你米面银钱。

只是，你已有了丈夫，日后不要到这里来了。你儿子已姓莫，再不到朱家去了。"双荷见儿子突然变成了莫家的三少爷，非常高兴，就回家告诉丈夫去了。

> 地痞（ pǐ ）：地方上的坏分子。
> 勒索（lè suǒ）：用威胁的手段向别人要财物。

再说那五个**地痞**流氓在茶房里一直等到太阳落山，也不见那孩子的人影。派人到朱三家打听，才知道莫家已让那孩子认祖归宗。五个坏蛋知道挑唆朱三抢夺遗产的阴谋落空，直着脖子喊倒霉。铁里虫说："慌什么，我们手里还有借据呢！"其他几个坏蛋说："朱三是个穷鬼，跟他能讨到银子？"铁里虫说："莫家的三公子不是也在借据上画了押吗？我们找他要银子去。"洒墨判官等喝彩："有见识！不枉你叫铁里虫！"

莫家老太太见大郎收留了孩子，一再抱怨他软弱怕事。大郎耐心地说："我们家富名在外，哪个不眼红？这兄弟确实是我爹的亲生骨血。我们若不认他，被那帮坏蛋操纵着今天告状，明天打官司。衙门敲诈，官员索贿，坏

莫老太：无风不起浪，我儿子说得对。

蛋们**勒索**，不知要出多少冤枉钱！到头来还得分一份家产给他。我们现在承认他是莫家的子孙，就绝了那帮坏人的**妄想**。该有多安宁！"莫老太听大郎说得在理，就不再说什么了。

一天，有一伙人突然闯进了莫家，吵闹着要见三少爷。那孩子见是赵家五虎，就上前打招

这哪里是什么"五虎"，简直是五条癞皮狗。

呼。钻仓鼠张朝说："好个神气的小少爷！前几天是我们送你来的，现在就不记得我们了。"那孩子说："大哥留我住下了，这几天没有出门。"吊睛虎牛三说："你如今成了少爷，这一千两银子该还我们了。"孩子说："我什么时候借过你们的银子？"铁里虫宋礼说："银子是你的**继父**朱三借的，你也画了押，想赖了不成？"孩子说："你们说打官司要用银子，叫我们写的。现在不打官司了，还你们什么银子？"五虎齐声吵闹："借据在这里，不怕你不还！"

莫大郎在一旁冷眼观察，已经明白了这帮

妄想：狂妄地打算或是不能实现的打算。
继父：母亲改嫁后的丈夫。

坏蛋的阴谋，就说："他小小年纪，借这么多银子干什么？"孩子说："大哥不要听他们**胡说八道**。"五虎见**敲诈**不能得逞，就喊："现有借据，我们和你衙门里评理！"说完，一哄而散。

> 胡说八道：瞎说或是说一些没有根据没有道理的话。
> 敲诈：依仗势力或用威胁、欺骗手段，索取财物。

五虎走开后，孩子向莫大郎详细说了五虎挑唆他母亲打官司、争遗产、写借据及让他到莫家哭祭的整个过程。大郎听了，气愤地说："这帮流氓恶棍！幸亏我早有提防。借据还在他们手中，他们必然打官司。见了官，你实话实说，官府自然会明白的。"

五虎果然到知府衙门里告了一状。第二天，朱三、双荷及孩子、莫大爷都到了知府衙门。

知府衙门的唐太守是一位清廉精明的好官。升堂问案时先问铁里虫宋礼："朱三是什么人？借这么多银子有什么用处？"宋礼说："他说要为儿子买地。"唐太守问朱三："这借据是你写

是一位好官就不怕了。要是一个贪官，莫家肯定要遭殃。

的？"朱三回答说："是我写的，可确实没见到一点儿银子。"铁里虫赶紧说："银子被莫家三少爷收去了。"唐太守叫莫家三少爷上堂回话。那孩子应声上堂，唐太守一看是个十二三岁的孩子，感到奇怪，问："这孩子收这么多银子做什么用？"铁里虫**强辩**说："是他父亲朱三写了借据，拿了银子给他买地的。"唐太守听说莫家三少爷的父亲是朱三，感到奇怪，就问朱

坏人和真理势不两立，所以大家千万别怕坏人。

三："这是怎么一回事。"朱三不敢撒谎，说："实话告诉老爷，这孩子原是莫家老财主的**私生子**，他妈是小人的老婆。莫家老财主最近去世，这五虎说要帮我们到莫家争家产，哄小人写了借据，做打官司的费用。现在莫家承认了这个孩子，不用打官司了，可他们还凭着借据硬向我们要银子。"太守问那孩子，孩子说，他继父说的完全属实。

> 强辩：强词夺理。
> 私生子：不合法生育的孩子。

太守又问莫大郎，为什么那么痛快地承认孩

子是莫家的骨血。

莫大郎说："赵家五虎是一伙无赖，专会诈骗钱财。我认了兄弟，他们的阴谋没有得逞，才有今天的官司。我若不认，赵家五虎必然挑起**事端**，不仅兄弟的千两银子被诈去了，我家还不知要被敲诈勒索多少银子！"

唐太守听了高兴，说："妙！有见识！有心计！事实现已查明，赵家五虎**无事生非**，妄图诈人钱财，实在可恨。"当即喝令，将宋礼等五人打三十大板，问了教唆诈骗罪，又各脊杖二十，刺配边远军州。

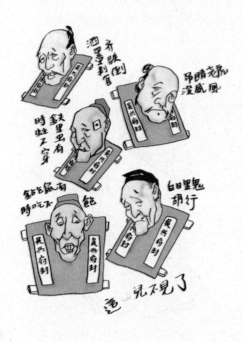

五虎被除，百姓拍手称快，编歌唱道："铁里虫有时蛀不穿，钻仓鼠有时吃不饱，吊睛老虎没威风，洒墨判官齐跌倒，白日里鬼胡行，这回儿不见了。"

> 事端：事故、纠纷。
> 无事生非：本来没有问题而故意制造纠纷。

194

学点英文

机会 : chance　　　孩子 : child　　　依靠 : depend on

奇怪 : strange　　　主意 : idea　　　计划 : plan

变化 : change　　　丈夫 : husband　　挑唆 : abet

遗产 : legacy

读读想想

1. 赵家五虎都是哪些人？

2. 赵家五虎策划了一个什么阴谋？

3. 莫大郎为什么要认三少爷？

4. 赵家五虎得到了一个什么下场？

贤岳丈智诫败家婿

宋代温州有一位姓姚的富家公子，他的父亲在世时曾做过兵部尚书。这位尚书虽然官高位显，却生活较为节俭，又精于算计，所以不仅积累了数不清的金银财宝，还在他家周围百多里的范围内购买了不知多少田地、房屋、山林。只可惜他没有对这个宝贝独生子进行过勤俭持家的教育，又给他娶了一位富家小姐做媳妇。这位小姐不仅生性软弱，也不懂生活艰难。所以，对姚公子的一切行为不闻不问，任凭**胡作非为**。

> 胡作非为：不顾法纪或舆论，任意行动。
> 肆无忌惮：任意妄为，没有一点顾忌。

姚公子缺乏良好的教育，从小又过惯了奢华的生活；父母过世后，更没人管得了他，加之一群狐朋狗友的怂恿哄骗，他越发**肆无忌惮**，挥霍无度。他不仅在以贾清夫、赵能武为首的一百多位所谓朋友的簇拥下下饭店，上酒楼，山珍海味，花天酒地，

那么精明的父亲，怎么不好好教教儿子呢？

196

还按月供给这些帮闲们个人生活费用和家庭生活开支。对穿衣，姚公子也非常讲究。衣料要最好的，款式要最新的。落了一点尘土，染了一点

这么奢侈，迟早会出事。

油渍，不管多华贵的衣服，就随手抛掉了。洗过的衣服，他更不会穿。他还买了几十匹名贵的骏马，几十张高档的弓，在赵能武们的前呼后拥下，到山林里去打猎。打猎时，他们举行**豪奢**的野餐。偶然有猎区的村

民们供给他们酒饭，姚公子就成百上千地赏赐。

这里要特别说明的是，姚公子不懂行市价钱，也懒得管**琐碎**事务。所以，这些花费开支都由贾清夫、赵能武等经手。而贾、赵都是奸诈小人，他们以少报多，以次报好，不知哄骗了姚公子多少银子。可这个冤大头一点也没觉察。

> 豪奢：豪华、奢侈。
> 琐（suǒ）碎：细小而繁多。

俗话说"死水怕勺舀"。姚家再富有，也经不起这样挥霍。几年下来，家中的现钱已经花光了。这期间，他的一些正直的朋友，他的亲戚张三翁，他的岳父上官老先生都规劝过他。姚公子

不仅认为这些人太爱钱，太小气。还觉得自己豪爽**旷达**，爱朋友，讲义气。整天把李白的"千金散尽还复来"挂在嘴上，毫无悔改之意。

现钱花光了，姚公子就卖田地。今天卖十亩，明天卖三十亩。卖田地就得写契约，姚公子本来识字不多，又嫌麻烦。贾清夫就给他出了个主意：把卖地契约的文字雕刻成板，只空卖地的亩数和时间，又给姚公子刻了**私章**，再卖地时只在印好的契约上填上亩数时间，盖上私章就行。姚公子觉得这样好，省了很多麻烦。他觉得贾清夫等人精明，会办事，就把卖地的事全权委托贾清夫等人办理。

贾清夫、赵能武等人在卖地的交易中，卖多报少，卖高报低，到底贪污了姚公子多少银两，恐怕他们自己也难以说清楚。

姚家的土地再多，到底有卖光的时候。

> 旷达：心胸开阔，想得开。
> 私章：私人的印章。

198

田土卖完了，就卖家中的古玩字画。古玩字画卖完了，就卖家具。紧接着就卖房子。到后来，房子也卖完了，只好和妻子上官氏租了别人的一间小屋居住。

　　姚公子的酒肉朋友看他把家产**荡尽**了，再榨不出什么

> 荡尽：挥霍得一点不剩。
> 一贫如洗：形容穷得一无所有。
> 豁（huò）达：性格开朗，气量大。

油水了，就各自走散了。后来，贾清夫、赵能武也不上门了。这个时候，姚公子已经**一贫如洗**，有时连饭也吃不饱。可是，贾清夫、赵能武等人却用哄骗来的姚家的钱财过着非常富足的生活。姚公子饿得无法，厚着脸皮到贾、赵的家里去，他们不仅没有了过去的巴结逢迎，而且，连一碗饭也不给他吃。

　　姚公子坐在家里想，与其和妻子一起饿死，还不如把妻子卖掉。这样，妻子可以活命，自己得了钱，还可以度日。只是没脸，也不敢去给岳父说。

　　上官老先生是个**豁达**开通的人。女婿胡乱挥

霍时，他劝过，批评过，姚公子不听。他想待他穷极无路时再设法教育他。所以姚公子和妻子缺衣少饭，他也不接济，任其吃苦受罪。现在，看姚公子想卖妻子，忙把张三翁找来。两人商量好计谋，张三翁就来到姚公子家的破屋里。

张三翁对姚公子说："听说你生活困难，想把妻子卖掉。"姚公子**羞愧**难当，沉默了半天，

> **羞愧（ xiū kuì ）难当**：感到羞耻和惭愧到了极点。

说："有这个打算，只是不敢给丈人说。"张三翁说："你丈人怕女儿挨饿，也准备另嫁他人。只是你妻子从你这儿再嫁别人，你面子上不好看。只好从你丈人家动身嫁人，我把彩礼给你送过来就是了。"姚公子只盼着卖老婆的银子，就同意了。于是，张三翁就把姚公子的妻子领回娘家，由上官老先生养活了起来。

过了几天，张三翁告诉姚公子，他的妻子另嫁到了一户也姓姚的富贵人家。只是人已中年，只得了

真是不长进。居然把老婆卖了。

四十两银子的**彩礼**。

卖老婆所得的四十两银子,姚公子几天就花完了。没办法,他只好自己卖自己。

上官老先生得到了这个消息,就让他的管家花几两银子将姚公子买了回来,并在**卖身契**上写明,要姚公子在农庄里干活。姚公子到了这步境地,身不由己。他早晨打柴,白天挑水,晚上舂谷簸米,得不到片刻休息。他哪里吃得了这个苦,不到十天就逃走了。

姚公子饿得受不了,只好去讨饭。上官老先生就叫别的乞丐欺

负他,抢他讨的饭,打他,还威胁说,要把他抓起来,交给主人。到了这种地步,人世间的冻饿、忧愁、凌辱他都尝遍了。他死不了,活不成,开始反思过去,对以前的荒唐行为感到惭愧、后悔。

彩礼:旧时订婚时男方送给女方家的财物。
卖身契(qì):旧时卖人的合同。

上官老先生觉得姚公子的思想有些转变,也被整得差不多了,就

收拾了一所庄院，让女儿住下。又在后门边的一间小屋内放置了被褥、生活用具，然后让张三翁去找姚公子。姚公子见了张三翁，羞愧难当，失声痛哭。张三翁告诉姚公子："你原来的媳妇现在是一户有钱人家的女主人。这户人家想找一个管后门的人，我想推荐你去。只是这家人规矩严，你一要早晨开门，天黑关门，不许**延误**时辰；二不许胡跑乱走。如果

看来不算混账到顶，还有得救。

让你原来的妻子认出是你，这个差事就干不成了。"姚公子**喜出望外**，一一答应了下来。

张三翁领姚公子到了后门边的那间小屋。姚公子一看小屋整洁，被褥干净，生活用具齐全。和他露宿街头、讨吃要饭比起来，这里就是天堂了。心里对原来的妻子和张三翁非常感激，就尽职尽

> 延误：耽误。
> 喜出望外：遇到出乎意料的喜事而特别高兴。

责地管起后门来。

两个月过去了，姚公子把后门管理得很好。上官老先生觉得他的野心收了，就派人送给他一封银子，说今天是女主人的生日，赏银给他买酒喝。姚公子一想，今天正是过去妻子的生日，想起自己以前的所作所为，不禁**愧悔交加**，泪如雨下。银子虽只有几钱，他也舍不得花，赶紧珍藏了起来。

你胡吃海喝的时候不会想到现在的结局吧？

有一天，有人对他说，女主人找他到中堂说话。姚公子有点害怕，但也只得前去。到了那里一看，只见原来的妻子满脸严肃地坐在上面，说："听说管门的人姓姚，没想到是您。你一个富家公子，怎么干这个？"姚公子羞得满面通红，无言以对。女主人赏他几钱银子，说让他买衣服穿。上官老先生让几个人去怂恿姚公子，要跟他一起

愧(kuì)悔交加:羞愧和后悔交织在一起。

去喝酒。姚公子说，钱来得不容易，怎么都不去。

上官老先生觉得姚公子已初步改好，就和张三翁把姚公子叫到中堂。

浪子回头，改了就好。

张三翁说："当初是我做媒，把你的妻子卖掉，今天我还做媒还你。"姚公子感到奇怪。张三翁就把上官老先生设计教育他的一番苦心说了一遍。

痛改前非：下决心改掉以前的错误。
经营：①筹划并管理。②泛指计划和组织。

姚公子这才恍然大悟，哭着向岳父磕头，表示万分的感激。

上官老先生对姚公子说："只要你**痛改前非**，这所房子给你夫妻住；再给一百亩地让你**经营**，好好过日子。如果旧病复发，我就把你赶走，媳妇也不让见面。"姚公子表示一定要重新做人。

上官老先生又招出女儿，夫妻抱头痛哭。

上官老先生设法要回了那些姚公子被人白占的田地。以后，小夫妻俩衣食不愁，和和气气地过日子。贾清夫、赵能武又来**凑趣**，讨便宜，被姚公子赶了出去。

> 凑趣（còu qù）：①迎合别人的兴趣。②逗笑取乐。

学点英文

节俭：thrifty　　积累：accumulate　　购买：buy

范围：scope　　　教育：teach　　　奢华：sumptuous

尘土：dust　　　 打猎：hunt　　　 麻烦：troublesome

亲戚：relative

读读想想

1. 姚公子出身于一个什么样的人家？

2. 姚公子是如何将家产挥霍一空的？

3. 姚公子的妻子重新嫁人了吗？

4. 这个故事讲了一个什么道理？

一枝竹箭，两段姻缘

明朝时有位武官，姓闻名确，祖籍成都府绵竹县。他中过武举，现任参将。虽然家道富足，可惜夫人**亡故**，只留下一个名叫蜚娥的女儿。蜚娥从小跟父亲学习武艺，练就了**百步穿杨**的高强本领。闻确又让她女扮男装，改名闻俊卿进学堂读书。闻俊卿和同学魏撰之、杜子中关系亲密，亲兄弟一样友爱，但比较起来，和杜子中更亲近些。而今俊卿已经十七岁，长得亭亭玉立，非常漂亮。

> 亡故：去世。
> 百步穿杨：形容箭法或枪法非常高明。

一年前，三个人都考中了秀才。俊卿想在魏、杜两人中选一个做自己的终生伴侣。有一天，杜子中和俊卿开玩笑，说："可惜我俩都是男子。我若是女的，一定嫁你；你若是女的，我定娶你。"魏撰之也跟着起哄取笑。闻俊卿不高兴地说："我们都是读书人，不该这

古代女子不能上学读书，所以蜚娥才男扮女装。

样开玩笑。"

回到房中，俊卿**心潮起伏**。看见远处的树上乌鸦啼叫，想借此**占卜**，到底选谁做女婿。便一箭射向乌鸦，心想，谁拾到箭我就嫁谁。看见乌鸦中箭落地，急忙换上男装，下楼去看。

乌鸦：呜呜，我可真倒霉。

正在学校院中散步的杜子中看见一只乌鸦落地，拾起来一看，见射中鸦头的竹箭上有"矢不虚发，发必应弦"八个字，就笑着说："这人口气好大！"魏撰之听见笑声，走过来接箭在手，仔细赏玩。恰好杜子中有事离开，箭就落在魏撰之的手里了。他看大字下面还有"蜚娥记"三字，心想难道女子中也有这样的高手？这时，俊卿走了过来，问："箭是你拾到的么？"魏撰之问："箭从哪里来的？"俊卿说："不敢瞒你，箭是我姐姐射的。"撰之听了惊喜，问："令姐可曾许人？"俊卿说没有。又问："长相怎样？"俊卿说："和我差不多。"魏撰之欣喜若狂，

心潮（cháo）起伏：比喻像潮水一样起伏的心情。
占卜（bǔ）：算卦。

就托俊卿说媒。俊卿说："父亲那里想来问题不大，我姐姐是否情愿，还说不准。"撰之藏好竹箭，又取出一块羊脂白玉给俊卿，作为给其姐姐的信物。

竹箭归了撰之，俊卿认定这是天意，但心里总丢不开杜子中。恰逢乡试，俊卿托病不考，魏、杜两人双双中了举人。不想**祸从天降**，仇家诬告闻确冒用国税、侵扣军粮，被按院押入大牢。魏、杜和俊卿千方百计营救，毫无结果。在这种情况下，魏撰之怎好提求亲的事。

不久，魏、杜要赴京会试，三人挥泪分别。俊卿一方面在衙门中上下送银子，使父亲不致受苦；一方面准备进京**申冤**。

此时，魏、杜两人高中进士的消息传来，俊卿觉得去京城后有了依靠，便征得父亲的同意，让家丁闻龙的妻子也女扮男装，三人一同上京城申诉。

祸从天降（jiàng）：意外的灾祸突然降临。
申冤：申诉冤情。

到成都后，闻俊卿正在一家幽静饭店的小楼上喝闷酒，发现对面楼上窗后一个女子在**目不转睛**地看她。抬头细看，竟是个非常漂亮的姑娘。俊卿不理，去办事。回来后，发现那姑娘还在偷看。一会儿，一个老婆子送了一些黄柑和紫梨，并说："我家小姐听说相公是参将府中小官人，特送些果子给相公下酒。"闻俊卿说："素不相识，怎么承受得起！"老太太说："姑娘是景少卿的小姐，父母双亡，现住外婆家。方才见了相公，十分称赞相公的风流**儒雅**，想来有点缘分。"俊卿说："小生没有这个福气。"第二天早晨，老婆子又送了好吃的东西来。俊卿怕纠缠不清，就说自己已经娶了妻子。

> **目不转睛**：不转眼珠地看，形容注意力集中。
> **儒（rú）雅**：①学问精深。②气度温文尔雅。

这天，一个员外模样的人找到闻俊卿。自我介绍说姓富，还说小姐是他外甥女，打听得相公还没有娶亲，有意高攀。闻俊卿以父亲在狱中推托。员外要求先把亲事定下来，以后再行聘礼。俊卿想不如暂时

答应了这桩婚事，好成全杜子中。就将撰之送的羊脂白玉作了信物。

闻俊卿主仆到京城后，就住在杜子中的寓所里。谈话中得知魏撰之已请假回家去了。俊卿明知撰之是为婚事，也不说破。杜子中让人把床铺移到俊卿房里，说这样可以联床长谈。

> 朝夕相处：白天晚上都在一起。
> 诧（chà）异：觉得十分奇怪。
> 谨疏（jǐn shū）：书面客套话，表示恭敬。

俊卿心里不安，却又无法推托。心想，只好多加小心，别无他法。

两人**朝夕相处**，哪里完全掩饰得住？杜子中看出了好多破绽，心里又高兴，又**诧异**。一天，闻俊卿出门办事忘了锁拜匣。杜子中在拜匣中发现了一张纸，上面写着："成都绵竹县信女闻氏，焚香拜告吴真君神前，愿保父闻确冤情早白，自身安稳还乡；竹箭之期，白玉之约，各得如意。**谨疏**。"子中看了，已经明白，但不懂后面两句，难道俊卿已许了人家？心里七上八下。

闻俊卿拜客回来，杜子中看着她只

杜子中：这个俊卿可真奇怪，越看越像个姑娘。

是笑。俊卿奇怪，问笑什么。子中说："笑你瞒得好！"俊卿说："我来这里，没有一件事瞒你。"子中说："我说过你若是女的，一定娶你。你果然是女子，却瞒了我这么长时间。"俊卿见说，满脸通红。强辩说："谁说我是女子？"子中拿出纸条，说："这可是你的亲笔？"俊卿见无法再隐瞒，就说："既然被你识破，无话可说。只是我虽然对你爱慕已久，可婚姻已属撰之，请你见谅。"子中感到不解，就说："和撰之比起来，你与我更

> **两全其美**：做一件事顾全两个方面，使两方面都好。

亲近些，为什么厚他薄我呢？"俊卿说了竹箭卜婚的事。子中高兴得大笑，说："这样说来，更应该我俩成亲了。竹箭是我先拾到的，上面有'箭不虚发，发必应弦'八字，我该没有乱编吧！"

闻俊卿见杜子中说得确实，心里已经同意，只是觉得有点对不起魏撰之。沉思了很久，觉得把景小姐说给魏撰之，不是**两全其美**吗！杜子中听了俊卿的主意，也拍手叫好。

杜子中以新科进士的身份，

以闻确女婿的名义四处活动，用银子开路，终于把仇家调往别的地方任职。又讨了在家乡做官的职务，和闻俊卿一同回到家中。

这时闻确已**保释**出狱，回到家里。俊卿把杜子中在京城尽力周旋的情况告诉父亲，闻确十分感激。又把自己愿意嫁给杜子中的缘由说给父

亲，闻确欢喜不尽，要她立刻改妆。俊卿说，改妆必须在见过魏撰之以后。闻确说："魏撰之从京城回来以后，托人做媒，说你有个姐姐，他要**聘娶**，我不明白是怎么一回事，就说等你回家后再说。"俊卿说："许多事情，一下子

说不清楚，以后您自然会明白的。"

恰巧魏撰之前来拜访。彼此问候以后，魏撰之就问俊卿："令姐的事怎么样？我可是为此事特地请假回来的。"俊卿说："包管你有一位好夫人就是了，详细情况，去问杜子中。"

> 保释(shì):犯人取保获释(法律名词)。
> 聘娶(pìn qǔ):下聘礼娶亲。

魏撰之急忙赶到杜家。杜子中就把京中同寓，识破俊卿女身的事说了一遍。魏撰之惊得目瞪口呆，**懊悔**地说："我的好姻缘，白白错过了。"杜子中说："怎么说是你的姻缘？"魏撰之说："定情信物羊脂白玉还在她的手里。"杜子中就把俊卿成都遇见

> **懊**（ào）**悔**：心里恨自己说错话或做错了事。
> **回音**：答复的音讯。
> **面见**：当面见到。

景小姐，用羊脂白玉作信物定亲的事讲给魏撰之听。撰之说："怪不得她不好说，要我问你。"

几天以后，杜子中与闻蜚娥举行了隆重的婚礼。然后，两人去成都为魏撰之求亲。杜子中拜访富员外，说："闻相公另有婚配，不能娶景小姐了。特别替新科进士魏撰之求亲。"富员外说："闻相公既留下信物，怎能误人家女儿？我外甥女总要等他本人的回信。"杜子

中请富员外和外甥女去商量，他等候**回音**。

一会儿，富员外出来说："外甥女要**面见**闻相公，还了信物。"子中说："闻相公不好再来，

213

我妻子现在成都,让她去见令甥女,说明详情。"
富员外便派一位老婆婆去接杜夫人。

景小姐和闻蜚娥见面以后,觉得眼熟,以为
是闻俊卿的姐妹。就问:"夫人和闻相公是什么
亲戚?"闻蜚娥说:"承蒙见爱的闻相公,就是我
呀!"景小姐仔细一看,果然不差。就问前次为
什么要女扮男装。闻蜚娥就把为父上京申冤,不
得已而女扮男装的原因说了一遍。又向景小姐
详细介绍了
魏撰之的人
品学问,并
说他们夫妇
这次到成都,
是特地代撰
之求亲的。
还说,日前
送你的那块
羊脂白玉,
本来就是魏
撰之家的传
世之物。景
小姐听她说

景小姐:哇,这么曲折的一个故事,真可以写部小说了。

得**头头是道**,更加撰之是新科进士,就派人报告
富员外同意亲事。

几天后,魏撰之和景
小姐成亲。第二天取出
竹箭,在上面写上"既归

头头是道:形容说话
做事很有条理。

214

玉环，返卿竹箭。两段姻缘，各从其便”的诗句，送给杜子中。

后来杜、魏都做了大官，两家往来，**情同手足**。

情同手足:感情像亲兄弟一样。

学点英文

乌鸦:crow　　　隐瞒:hide　　　　问题:question

玉:jade　　　　祸事:misfortune　依靠:depend on

梨子:pear　　　外甥女:niece　　　监狱:prison

介绍:introduce

读读想想

1.闻俊卿和谁的关系更亲近一些？

2.闻俊卿用什么来占卜婚事？

3.闻俊卿在成都遇到了什么事？

4.杜子中是如何确定闻俊卿是女子的？

宝镜的故事

宋朝隆兴年间，四川嘉州有一位名叫王甲的渔翁，和他的老伴住在岷江边，世代以打渔为生。这对老夫妻无儿无女，乐善好施，每天打来的鱼虾，留够两人一天的食用，多余的都施舍给寺院或乞丐，从不贪心吝啬。

一天，夫妇俩捕鱼时，不料想捞上来一面宝镜。这宝镜周长八寸，上面雕刻着龙凤，还有许多他们不认识的 **篆字**。老夫妻知道这面宝镜值钱，仔细收藏了起来。

> 篆（zhuàn）字：汉字形体的一种。篆书。
> 良辰吉日：美好的日子。

这是面"聚宝镜"。是轩辕黄帝采聚日月精华，按照奇门遁甲，选择 **良辰吉日** 精心铸造的。因为上面的文字都是秘诀灵符，所以，镜子所到之处，金银财宝都会自动聚集。王甲夫妇乐善好施，所以上天赐给他们这面宝镜。从此以后，财

善有善报，时候已到。

富就经常莫名其妙地出现在王家，有时扫地也能扫到碎金子。

王甲夫妇虽然富了，却并不奢侈，仍然过着勤劳**俭朴**的渔夫生活。

一个风雨交加的晚上，王甲夫妇正准备撑船回来，却听到江南面有人请求渡江，而且呼叫声很急。王甲想，江上没有别的船，我不渡他，他就要在风雨中受罪。于是，王甲夫妇顶风冒雨把船撑到对面。原来是穿黄衣、白衣的两位道士求渡。王甲就把他们渡到江北。临下船时，他们又要求借宿。王甲就把他们领到家里，用丰盛的**斋饭**热情款待。然后让他们到一张竹床上同铺睡觉。

> 俭（jiǎn）朴：俭省朴素。
> 斋饭：没有肉的饭菜。

半夜，王甲夫妇听到竹床发出嘎嘎的响声，接着，听到"扑"的一声，好像什么东西掉到了地上。再听，四周又静悄悄的没有一点声响。天明一看，他们惊得舌头都吐了出来。原来，竹床已被压破，两个道士在床下躺着。仔细再看，更加吃惊，躺的是一个金人，一个银人，少说也有一千多斤重。他们又得了一

拿这么多钱该怎么办啊，愁死人了。

大笔财宝。

王甲夫妇都是本分人，过惯了**粗茶淡饭**的普通生活，现在金银多得家里都没地方放了，反而发起愁来。经过认真商议，他们决定把宝镜献给峨眉山白水禅院的圣像，让它永远被佛家供养。于是，他们一同来到白水禅院，献上宝镜。禅院的住持法轮，不仅给他们开了捐献证明，还让他们当着众僧的面，亲手把宝镜安放在佛顶后面。

> 粗茶淡饭：指简单不精的饭食。
> 掩人耳目：以假象蒙骗别人。

谁想这法轮是个奸猾狡诈的坏人，当众安放是为了**掩人耳目**。后来，他请工匠暗地里铸了一面和宝镜分毫不差的镜子。然后把假镜装在佛顶后面，藏起了真镜。此后，法轮渐渐富足起来。

王甲夫妇慷慨大方，今天赠这个金子，明天送那个银子。有出无进，金银越来越少。不到两年，又变成了打渔的穷人。他们后悔献出了宝镜，就到禅院去要求索回。法轮满口答应。王甲从佛顶上取下镜子，反复细看，认得是旧物，就高高兴兴地抱着镜子回家。

镜子虽然拿了回

来，却一点也不**灵验**。王甲夫妇叹息福气已过，做梦也想不到镜是假的。

不久，嘉州来了个名叫浑耀的提点刑狱，这是个心狠手辣的贪官。他见法轮富比王侯，打听到禅院里有面聚宝镜。就派名叫宋喜的**心腹**典吏到禅院去，向法轮借宝镜赏玩。

法轮怎么肯借？对宋喜说，宝镜已被原施主讨回。宋喜说："提点大人知道宝镜来历，我如何回复他呢？"法轮给宋喜十两银子，宋喜答应回衙后说明镜子已被讨回的情况。

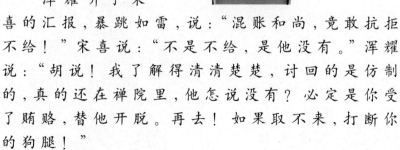

浑耀听了宋喜的汇报，暴跳如雷，说："混账和尚，竟敢抗拒不给！"宋喜说："不是不给，是他没有。"浑耀说："胡说！我了解得清清楚楚，讨回的是仿制的，真的还在禅院里，他怎说没有？必定是你受了贿赂，替他开脱。再去！如果取不来，打断你的狗腿！"

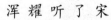

灵验：①有奇效。②能够应验。
心腹：亲信。

宋喜慌忙去找法轮。
法轮狡辩说："以假换真

是坏人造的**谣言**，怎么能信？"宋喜说："拿不出镜子，提点大人不会善罢甘休。还是送点什么，堵堵嘴吧。"法轮就拿出一千两银子，要宋喜转交浑耀。

宋喜雁过拔毛，私藏二百两，交给浑耀八百两。浑耀想，八百两银子和宝镜相比，太**微不足道**了。可宝镜怎么到手呢？想着想着，就想出了一条毒计。立刻派两个公差，到白水禅院捉拿住持法轮。

> 谣言：没有事实根据的消息。
> 微不足道：非常藐小，不值一提。

法轮从宋喜那里知道了要抓他的消息，猜想还是为了宝镜的事。就悄悄对徒弟真空说："提点要抓我，无非为了宝镜。你把它藏好，我到衙门里讲明白，就回来了。"真空说："师父放心！我一定藏到连鬼也找不到的地方，不管谁来问，死活不认账。"

法轮被押到提点衙门的大堂上。浑提点升堂审问，拍案大骂："你这秃贼，怎敢用八百两银子贿赂本提点，想要干什么？从实快招！"法轮自恃钱多，并不胆怯，说："大人要宝镜，禅院里没有，典吏让小僧送银子给大

贪婪的人的下场一般都这样。

人。"浑耀说："一派胡言！哪有此事？必定是你想买通本提点，干什么见不得人的坏事，不打怕你不招！"一顿大板子，把法轮打得皮开肉绽。

浑提点让宋喜暗地里好言好语哄法轮，要他交出宝镜。法轮一口咬定：要银子，多少都可以凑给；要宝镜，没有。浑耀听了宋喜的报告，见一计不成，又生一计：以查抄赃物的**名义**，派人包围禅院，把法轮的财产**尽数**抄出来，逐件检验，不怕宝镜查不出来。计谋想好，浑提点就命令典吏宋喜带公差，快去办理。

真空本来是个贪婪的坏和尚。法轮被抓，没了惧怕，放开手脚胡作非为：和一帮酒肉朋友胡吃海喝；到赌场里滥赌。不久，就花掉了好多银子。心想，师父回来，追究起来，必然受责罚。不如卷了银子和宝镜逃

到他州外县，留长头发，讨个老婆过下半辈子。打定主意，连夜把禅院里所有的**金银细软**包扎好，装了两担。自己挑一担，雇人挑一担。告诉

名义：做事时用来作为依据的名称或称号。
尽数：全部。
金银细软：金银、首饰、贵重衣服等便于携带的东西。

僧众们说，要到州里去搭救师父。走出山门，逃得无影无踪。

真空逃走后，第二天宋喜带领一伙公差来到白水禅院，搜查法轮住的僧房。破门进去一看，只见箱空笼破，满屋**狼藉**，一件值钱的东西都没有。公差们掘地三尺，也找不到宝镜。问真空哪里去了，一个僧人说："他说去救师父，为什么把金银财宝席卷一空呢？看来是乘机逃走了。"宋喜无法可想，只得向浑耀如实报告。

浑耀听了报告，气得**七窍生烟**。大骂："法轮秃驴，确实狡猾，肯定是他私下让徒弟带着宝镜逃跑了。"便从牢中

法轮:啊,这我怎么知道啊,我又不是千里眼。

提出法轮，拷问徒弟逃到什么地方去了？法轮无从回答。浑提点打板子，动大刑，还是没问出真空的下落。法轮住在深山古寺，平日养尊处优，哪里吃过这种苦头？加之徒弟逃走，财宝一空。身上伤痛，腹内心痛，两相夹攻，他再也受不住了，回到监房，气绝身亡。法轮死了，浑耀只得罢手。

真空逃出山门后，雇

狼藉:乱七八糟,杂乱不堪。
七窍生烟:形容气愤之极。

大车装上行李财富，逃往黎州。走到竹公溪头，忽然大雾**弥漫**，一位身披黄金铁甲、手执方天画戟的天神拦住去路，大喝一声："哪里跑？还我宝镜来！"赶车人吓得丢了车子，转身逃跑。真空带着宝镜，拼命逃窜。刚跑进树林深处，没等他喘口气，从一阵狂风中跳出一只斑斓猛虎，当头扑来。片刻之间，真空成了老虎的一顿美餐。真空妄想霸占宝镜，落了个和法轮一样的下场。

坏人的下场不是被忍者神龟杀死，就是被老虎吃掉。

王甲夫妇仍然过着贫穷的日子。一天晚上，两人做了同一个梦：一位金甲神人对他们说："你家的宝镜在竹公溪头，还不快去取！"醒来一说，觉得奇怪。经过几天**跋涉**，王甲到了溪头。只见一辆大车倒在地上，车上装着无数金银财宝。王甲在前后左右、地上草中反复寻找，就是找不见宝镜。尽管宝镜没找到，王甲也非常高兴，就想法把大车拉了回来。妻子一看，也欢喜不尽。王甲准备明天

弥（mí）漫：充满，布满（多指烟气、雾气、水等）。
跋涉（bá shè）：爬山趟水，形容旅途艰苦。

再去寻宝镜。

当天夜里，王甲梦见一位金甲神人对他说："你不要**痴心**了。镜子是天神之宝，你夫妻乐善好施，所以暂到人间，让你们享一享富贵。现在恶人已得恶报，镜子该回天上去了。只要你仍然积福行善，那一车财宝足够你享用了。"王甲夫妇知道宝镜已回归**天庭**，就不再寻找了。

痴心：沉迷于某人或某种事物。
天庭：神仙居住的地方。

学点英文

渔翁：fisherman　　乞丐：beggar　　文字：words

因为：because　　舌头：tongue　　凤：phoenix

金子：gold　　银子：silver　　虾：shrimp

虎：tiger

读读想想

1.宝镜是谁制造的？

2.王甲夫妇是怎样的人？

3.为了这面宝镜，断送了几条性命？

4.这个故事讲了一个什么道理？

《金刚经》历劫的故事

　　唐代大诗人白居易，曾亲笔书写《金刚经》一百卷，分赠各地寺庙。经历几代战乱，经卷大多流失。到了明朝，仅剩一卷，藏在吴中洞庭山一个寺庙中。值得庆幸的是，这件墨宝不仅完好，而且达官显宦、**骚人**墨客在经卷上留下了许多**题跋**，使它更加珍贵，成为这座寺庙的镇寺之宝。

> 骚（sāo）人：诗人。
> 题跋（bá）：写在书籍、字画等前后的文字。

　　嘉靖年间，吴中遭了大水灾。庄稼颗粒无收，米价暴涨。寺僧辨悟向住持说："寺中这么多僧徒，没有四五十石米就度不过灾荒。现在没有施主上门，我们还能等着饿死？不如找个识古董的富人，拿《金刚经》当些米，灾荒过后再把它赎回来。"住持说："办法固然好！可灾荒如此严重，谁有闲钱当经书呢？"辨悟就给住持推荐了山塘王相国府上的严都管，说："凭我的面子，当几十

石米，恐怕不成问题。"其他僧人听了，就催辨悟快去办理。

住持把锦缎包裹、纸质发黄、册页散乱的《金刚经》交给辨悟，叮咛说："务必叫他们好好收藏，千万别**失落**了。"

> 失落：丢失。
> 金碧（bì）辉煌：形容异常华丽，光彩夺目。

辨悟在相国府拜见了严都管，说："灾荒严重，寺里众僧眼看只好挨饿了。想把白侍郎亲笔书写的《金刚经》当一百石米，好度荒年，求大都管帮忙。"严都管打开包裹一看，见是些发黄零乱的旧纸，就说："原以为多么**金碧辉煌**呢！只是些破纸，怎么值得百石米？"一边说一边翻看，见有许多官宦名人的名字在上面，连他的主人王相国也留有题跋和印章，这才高兴起来，说："看来也值一些钱。看你我交情的份上，就当给你五十石米吧。"辨悟只好同意。严都管收了经卷，开了五十石米的当票。辨悟雇人把米量好装船，高高兴兴地运回寺中。

过完新年，相国夫人审阅严都管送来的账册，发现一笔账："洞庭山

某寺《金刚经》一卷，当米五十石。"这位相国夫人乐善好施，尊重佛家弟子，**敬奉**佛家经卷。看了这笔账，想起王相国说洞庭山寺内的《金刚经》是传世之宝，莫非已当在我府？叫人拿来一看，纸色**古旧**，果然就是。就对严都管说："时值荒年，寺院拿镇寺之宝来当。一座穷寺，哪里有钱来赎？放在府里，我心不安。五十石米算我施舍给寺里的，这经卷你原物奉还吧。"

恰好辨悟来拜访严都管，严都管就把相国夫人的吩咐说了一遍。辨悟欢喜不尽，千恩万谢，捧着经包，离开相府，来到码头。

上船以后，辨悟看见满船都是拜佛进香回来的人，抑制不住高兴，就把如何拿经卷当米，相国夫人又如何**无偿**送回的事讲给大家听，惹得大家一片惊叹。有人就说："经卷如此贵重，拿出来让我们开开眼界吧！"辨悟说："这是白

敬奉：虔诚地供奉。
古旧：陈旧。
无偿：没有报酬。

侍郎真迹，各位未必认识，不看了吧。"众人中一位教乡学的黄先生听辨悟 拗(niù)不过：无法改变。 的话有点欺人，就不高兴地说："不就是白居易么！怎欺负我不晓得？同船共渡，也是缘分，看一看怕什么？"大家都说，黄先生说得在理，拿出来看看吧！

辨悟**拗不过**众人，只得把经包放在舱板上打开。才揭十几页，忽然一阵旋风刮来，辨悟急忙用手按住，首页已经卷到空中。辨悟抽不出手来，急得乱叫。众人慌了手脚，你挨我挤，碰碰撞撞，哪里还来得及？那页卷在空中的经卷越飘越高，荡荡悠悠飞得无影无踪。众人呆了，互相埋怨。辨悟伤心地说："千年古物，残缺不全了！"包好经卷，不住地叹气。

回到寺里，辨悟只说相府还经的缘故，不敢说丢失一页的话。全寺僧人欢喜赞叹，没有人查看。住持就把《金刚经》珍藏了起来。

再说河南卫辉府有位姓柳的官人，新任常州府太守。上任前的饯别宴会上，

有位客人说："常州邻府苏州境内的太湖中，有座洞庭山，山上的寺庙中藏有白居易手书的《金刚经》。这是真迹，**价值连城**。太守有机会，不可不看。"这柳太守是个贪心的小人，听了后就牢记心上。

柳太守到任以后，多次向常州的士绅表示，想看到《金刚经》，希望有人买了送他。一年过去了，柳太守没有达到目的。贪婪的本性露了出来，就向有求于他的富翁暗示，要得到《金刚经》才能办事。富翁们就到寺里去买，可寺里的住持死活不卖。富翁们只好用现银行贿。柳太守还是得不到经书，他始终不死心。

坏人的狐狸尾巴总是要露出来的。

有一天，江阴县抓住了一伙劫匪，其中有一位**行脚僧人**。柳太守施展诡计，要从僧人身上得到《金刚经》。

就派狱卒告诉行脚僧，要他招认洞庭山寺庙是他的**窝赃**

价值连城：价值非常高，非常珍贵。
行脚僧人：云游四方的和尚。
窝赃：故意为罪犯藏或转移赃物。

之所。否则，就要剃他的头。第二天升堂问案，还没等上刑，

瓜葛:泛指两件事情互相牵连的关系。

行脚僧人就招供说，他的赃物窝藏在洞庭山的寺庙里，还供出了该寺住持的名字。柳太守大喜，录了供状。向苏州府捕盗厅发文，要他们拘传寺庙的住持。捕盗厅收文后，派捕快到寺中抓人。

捕快闯进寺庙，把寺中的住持捆绑起来，就要押走。众僧问抓人的原因，捕快说盗窃案发作。住持分辩，捕快不听，押了就走。

辨悟带了一个和尚和住持一同来到常州。打听出行脚僧人的姓名、来历，知道他和寺里毫无**瓜葛**。太守升堂，也不审问，就把住持押进牢里。

太守派心腹找到辨悟，说："太守说了，只要你把《金刚经》取来，住持就没事，稍迟几天，就来收尸！"辨悟气得七窍生烟，毫无办法可想，只好进监狱与住持商量。住持虽然一千个不情愿，也奈何不得贪官，叹口气说："既然如此，取来给他吧。"

不弄明白事情到底是怎么回事就下结论，这可是坏毛病。

辨悟昼夜兼程，五天不到，就把《金刚经》送到了柳太守手中。柳太守是个大老粗，看经书零零散散，纸色晦暗，不知道有什么宝贵的地方。仔细一翻，首页都找不到。不禁大笑说："徒有虚名，残缺不全，有什么用处？还说价值连城呢，**迂腐**儒生误传而已。枉费了我许多心思！难为住持，白坐了几天监牢。"内眷们见经卷残缺，没什么好看，就撺掇太守放了住持，还了经卷。太守同意，就叫人把经卷拿走。

没品味的人，好东西到他手里也会认不出的。

衙内传出消息，说太守嫌经卷缺了首页，要退还。辨悟以为要他补上首页，正急得**抓耳挠腮**，住持已经放了出来，经书也退还了。师徒俩住到旅店后，辨悟就把首页丢失的情况告诉了住持。住持高兴地说："这是天意啊！若风不吹去首页，宝卷再也回不来了！"第二天师徒三人雇了船，欢欢

> 迂（yū）腐：拘泥于陈旧的准则，不适应新时代。
> 抓耳挠腮（náo sāi）：形容焦急而没有办法的样子。

喜喜地往苏州而去。

　　船行得近枫桥，天已昏黑。忽然风雨大作，四周一片漆黑，无法辨别方向，只看见远处有一道火光。住持让船家把船划向亮处。划近以后，才看见岸边有座草屋，屋内有盏油灯。住持等离船上岸，推门走进草屋，看见一位老者正在诵经。相见礼毕，辨悟发现墙上贴着一张纸，仔细辨认

后，高声叫："师父快来看！"住持凑近，见纸上第一行字是："金刚般若波罗密经"，第二行是"法会因由分第一"，正是丢失的《金刚经》首页。住持高兴得连呼"阿弥陀佛"。老者问他们为什么这样高兴，辨悟却要老者讲讲纸的来历。

　　老者说："我姓姚，是个渔夫。虽然不识字，却信佛念经，**敬惜字纸**。一天晚上，一张纸顺风飘落到我家门前，我不敢**亵渎**，拾起来贴在墙上。有人说，这是《金刚经》首页。我更加敬

> 敬惜字纸：尊敬爱惜写了字的纸，指尊重知识。
> 亵渎（xiè dú）：轻慢，不尊敬。

焕（huàn）然一新:形容出现了崭新的面貌。
瞻（zhān）仰:恭敬地看。

重,每天诵经时,一定对它顶礼跪拜。两位看见它这样惊喜,一定知道它的来历了。"

住持说:"这是唐朝侍郎白居易手书,全经在我寺中,只差首页。前几年在湖中被风刮走,不想被您拾到,灯光又把我们引到这里,这难道不是菩萨显灵!"

老者听了,非常高兴。揭下来和经书一对,长短宽窄分毫不差。老者感叹地说:"我敬惜此纸几年,今天看到经卷完整,也是福气。我想随师父们到寺里去,请裱匠重新装裱《金刚经》,算做了一件善事。"

第二天,老者到城里请来了一位技术高明、经验丰富的裱匠,和住持等人一同到了寺里。不过几天,《金刚经》果然**焕然一新**。

从此以后,老者每年都要到寺里来一次,虔诚地**瞻仰**白居易的手迹,一

好人最后什么都会得到,坏人什么也抢不走。

233

直到逝世。《金刚经》至今还在那座寺庙里珍藏，只是笔者不敢说出寺名，怕今天还有柳太守那样的贪官。

学点英文

珍贵：valuable 水灾：flood 价钱：price

收藏：collect 五十：fifty 佛教：Buddhism

旋风：whirlwind 埋怨：complain 纸：paper

宴会：banquet

读读想想

1. 这卷《金刚经》为什么那么珍贵？

2.《金刚经》最初当在哪里？

3.《金刚经》首页是如何丢失的？

4.《金刚经》首页是如何失而复得的？

许察院智断连环案

明朝时，陕西有兄弟二人，哥叫王爵，中了秀才；弟叫王禄，做了盐商，他们的父母都在世。兄弟二人各有一个儿子，叫王一皋、王一夔，都在读书。

这一年，王禄带着仆人王恩、王惠到山东贩盐，因经营有方，赚了许多银子。有了些钱后，王禄就整日花天酒地。不到两年，搞得一身是病。眼看着**病入膏肓**，就叫王恩回家把哥哥、儿子叫来，准备交待后事。

有钱可不能乱花，应该用在有用的地方。

王爵赶到山东，兄弟相见，悲伤不已。王禄说："这一千两银子，烦你交给父母，算我孝敬他们养老的费用。其余三千两，一皋、一夔各得一半。"银子交点清楚，其他后事也安排**妥当**，黄昏时分，

病入膏肓（gāo huāng）：比喻事情严重到了不可挽救的程度。

妥（tuǒ）当：稳妥适当。

王禄去世了。

王爵叫王惠买来一副棺木。**盛殓**王禄的尸体时，借故把王惠支开。行李收拾好了，王惠见一百多两零碎银子、两副金首饰装在随身行囊中，五百多两银子装在一个大匣内，觉得疑惑，问

> 盛殓：把尸体放在棺材里。
> 闪失：意外的损失、岔子。

王爵："其他银子呢？"王爵说："恐怕路上有**闪失**，我已用妙法藏好。"王惠不好再问。主仆俩雇了李旺的车子，把棺木、行李放在车上，他们骑着牲口，一路往西而去。

王爵一行走到曹州，住在客店里。当天半夜，李旺丢了车子，偷了装银子的大匣子逃走了。天明以后，王爵发现银子被盗，就到曹州知府衙门报了案。知府也是陕西人，见同乡秀才被盗，马上派李彪跟着王爵，追捕盗贼。王爵另雇了车夫，推了车子，和李彪一同上路。

到了开河集，王爵一行住在张善的客店里。吃完饭，李彪出门去寻访盗贼。王爵说心中烦闷，张善就陪他到一所幽静的尼姑庵里散心。到

眉开眼笑:形容高兴愉快的样子。
踪影:行动所留的痕迹。

了庵里，王爵见尼姑真静长得漂亮，就起了坏心。

回店以后，王爵拿了些银子，对王惠说："晚上不一定回来，你伴着李彪好好看守行李。"王惠答应说："一定小心谨慎。"

王爵又回到庵中，真静见了银子，**眉开眼笑**，当晚王爵就住在庵中。此后好多天，王爵白天在客店里等候追捕盗贼的消息，晚上住在庵里。王惠、张善等以为他在妓院里过夜，也不便过问。

过了一段日子，李彪说："开河集上探不出**踪影**，我明天到济宁暗访去。"王爵怕李彪和盗贼勾结，就让王惠和李彪一同去查访。

王惠走后，王爵到庵里告诉真静，夜里要看守行里，不来庵里过夜。

半夜，张善听见房上瓦响，急忙起床查看，只见一个人从屋檐上跳下来。他大声喊叫："大家起来看看，有贼！"这时，只听到"劈扑"一声，关着的

237

店门被人打开了。张善想，王爵的行李沉重，快到他房里看看。还没抬脚，李彪从店门外走了进来。于是，一伙人拥到王爵房里，一看都惊呆了，原来王爵已被杀死在床上。李彪看王爵已死，说："店家，看见秀才单身，你就**算计**他了！"张善听说，变了脸说："既然去济宁，为什么半夜回来？杀人的肯定是你！"李彪气得瞪眼大喊："我忘了刀，回来拿，深夜不关店门，难道不是你先把人杀了？"张善气得发抖，说："有刀的是你，杀了人，反倒赖我！"李彪从床上把刀拿给众人看，说："这刀可是才杀过人的？有血迹吗？"两人争吵不休，大家也分辨不清是非，干脆把两人都捆了，天明后送到州里去。

> **算计**：①暗中谋划损害别人。②考虑、打算、估计。
> **决断**：拿主意、作决定。

知州升堂，李彪、张善都指责对方杀了人，辩解自己没有罪。知府**决断**不下，就上了大刑。张善熬刑不过，承认自己杀了王爵。知州取了供词，把张善关进死囚牢中。

王惠在济宁等了两天，不见李彪回来，就又回到开河集，才知道王爵遇害，行李丢失。虽然张善下狱，李彪候保，却不提失赃的事，觉得其中必有**蹊跷**，就告到了按察院许公那里。

许察院正在山东巡按，就提出人犯审问。张善说："我是店家，怎敢杀住在自家店里的客人？在州里是**屈打成招**。"李彪说："小人是公差，是随王秀才追贼的，杀了王秀才，怎么向州里回话？"许公听了供词，仔细观察了两人的神态，觉得两人都

不是杀人凶手，必有别的原因。

第二天升堂再审。许公问张善："秀才到你店后，晚上一直在店中过夜吗？"张善说，他曾带王爵到尼姑庵去过，当时秀才和尼姑真静有点眉来眼去。后来，秀才一直不在店中歇息，只有被杀的那晚住在店里。至于平时在哪里过夜，他不知道。

许公派人把真静抓了来。真静见自己卷入人命

> 蹊跷（qī qiāo）：奇怪。
> 屈打成招：清白无罪的人冤枉受刑，被逼招认。

官司，又看公堂**森严**，就老实承认王爵住在她那里。并说："他说要送我两副金首饰和几十两银子，只是还在店里，没有送来。我指望他送东西来，怎么被人杀了！"

许公见真静年幼，虽然形貌娇媚，却说话老实，不像个杀人凶手。就问她："王爵说要送你首饰银子的事，告诉过别人么？"真静迟疑了半晌，红了脸说："只告诉过光善寺里的无尘和尚，他是我的相好。"

许公派人去抓无尘，无尘早已逃了，便把无尘的徒弟月朗抓来，要月朗招出无尘逃跑后藏匿的地方。月朗说："他可能在一个亲戚家。"

月朗和公差化装成道士，到无尘亲戚所在的村子去**化缘**。果然在亲戚家里发现了无尘。公差就把他锁起来，押上公堂。

许公问他："无尘，你为什么杀了王秀才？"无尘开始抵赖，后来一则受了大刑，二则真静

森严：整齐严肃，防备严密。
化缘：僧尼或道士向人求布施。

240

对质。就招供说："我恨他占了真静，又贪他的财物，就到店里杀了他，取了首饰银子，藏在寺中箱里。"许公叫

> 对质：当面对证。
> 飞沙走石：沙子飞扬，石块滚动。形容风很大。

人起出赃物，封入曹州库中。判了无尘死罪，真静赶出尼姑庵。张善、李彪、月朗无罪释放。大家都称赞许察院断案如神。

王爵被杀案审结的第二天，王惠和李彪往西去迎接正往山东赶来的王恩及一皋、一夔兄弟。走到长垣县境内，就碰见了王恩等三人。一皋、一夔兄弟听说两个父亲都死了，抱头痛哭。因为要到曹州府库中领取首饰和银子，五个人就回转脚步，再往开河集而来。

一皋等五人正在走路，忽然狂风大作，**飞沙走石**，天昏地暗，对面不见人影。五个人互相搀扶着，跌跌碰碰地到了一个村庄。说来也怪，风沙停止了，天也晴朗了。他们看到一家小酒店，决定买碗酒，暖暖身子再走。

走进店里，李彪见招呼客人、端酒上菜的全

是女人，就问："你们家的男人哪里去了？"一个老年妇女回答："老汉和儿子讨酒钱去了，一会儿就回来。"过了一会

> 会意：明白意思。
> 不讳：不忌讳，无所避讳。

儿，两个男人走进店来。王惠抬头一看，年轻的那一个不是李旺么？他上前一把扭住说："狠贼！认得我么？"李旺见是王惠，一下软了。李彪亮出腰牌，用铁链锁了李旺。

李彪问赃银在哪里，李旺不开口。狠狠打了一顿，还是不肯说。那位老年妇女眼睛看着灶前地下，努嘴示意。原来她是李旺的继母，平日受他虐待，巴不得事情败露。一皋等**会意**，很快从灶前挖出了丢失的匣子。王惠点了数，幸喜银子都在。几个人把李旺押上了按院大堂。

许公升堂，李旺对盗窃银子供认**不讳**。许公命人打了他三十大板，发给曹州府问罪。批准一皋、一夔兄弟从曹州府库中领回赃银。

兄弟二人

叩头感谢，并禀告说："父亲生前，曾说留下很多银子。两次被盗不过六百余两。家人王惠说，现在除了两副棺木，再无别的东西，不知那许多银子哪里去了，望大人明断。"许公问王惠。王惠讲了当面点清银数及王禄入殓时，他被支开的情况。许公听完，笑着写了几句话，封好交给一皋说："回家后拆开，就可以找到银子。"二人不敢再问，退了出来。

丢失的银子终于找到了，许公真像福尔摩斯一样厉害。

一皋一夔兄弟辞别张善，护棺回到家中。全家人出来迎接棺材，号啕大哭，跪拜祭奠，不必细说。

一皋的祖父问起银子。他们拆读了许公的信，才知道这是许察院给的开棺**执照**。撬开王禄的棺材，四千银子**俱在**，分给谁的数目、名字都写得清清楚楚。

执照：由主管机关发给的准许做某项事情的凭证。
俱在：都在。

学点英文

清楚 : clearly   黄昏 : dusk   盐 : salt

承认 : admit   犯人 : prisoner   瓦 : tile

凶手 : murder   亲戚 : relative   村庄 : village

继母 : stepmother

读读想想

1. 王禄死时，一共留下多少遗产？

2. 李旺偷走了多少银子？

3. 王爵是被谁杀害的？

4. 许案院的信上说了些什么呢？

后　记

　　本书中的故事根据中国明代著名短篇小说集《初刻拍案惊奇》和《二刻拍案惊奇》改编而成。这两部小说再加上《醒世恒言》《警世通言》《喻世明言》，合称"三言二拍"，是我国古代文学的瑰宝，代表了中国古代小说发展的一个重要阶段，即"拟话本"阶段。宋代和元代，开始出现大量的"话本"，即说书人用的底本。话本的出现，最初是为说书人用的，但它们也可以当作阅读物。后来随着话本的发展，逐渐脱离说书，成为独立的文学作品，并被大量印刷。于是文人开始介入，从搜集、改编到模拟话本进行创作，成为"拟话本"。明代作家冯梦龙、凌濛初在这方面有突出贡献。冯梦龙搜集、整理了许多宋元时期的话本和明代的拟话本，经过加工，编成了流传至今的"三言"。凌濛初效仿冯梦龙，编成了"二拍"。

　　《二拍观止》收入短篇小说26篇，包含了许多脍炙人口的故事。比如，《倒运汉出海遇好运》，讲了一个奇异有趣的故事。

文若虚善良热情，屡次做生意屡次失败，随朋友出海经商，却突然好运连连，捡到一个大龟壳，却原来是个无价之宝，发了大财。《刘东山夸技遇高手》，说明人应当谦虚谨慎，需知山外有山，人上有人，不能骄傲自满，自吹自擂。《陈秀才巧计赚原房》，讲述了陈秀才浪子回头，迷途知返，设计夺回自己被别人强行霸占的房产的故事。里面有句话叫做"败子若收心，犹如鬼变人"，形象而深刻。《郭刺史无奈当艄公》中的郭七郎，由一个富家公子、一州刺史变得一贫如洗，最终靠替人掌舵度日。可见一切名利均是空的，只有一技之长才是安身立命的根本。《赵六老娇纵出逆子》特别适合母子共读。赵六老骄惯孩子，最终自食其果，被儿子逼得上吊自尽。家长们应当引以为鉴。《神偷懒龙传奇》中视官府如儿戏的"神偷一枝梅"，有许多离奇的故事。他视金钱如粪土，劫富济贫，且行不更名坐不改姓，每次拿了东西都会在墙上画一枝梅花。《宝镜的故事》讲述了王甲夫妇乐善好施终得好报，而贪婪的僧人法轮与真空妄想占有宝镜，汇聚钱财，终归一命呜呼的故事。阐明了一个中国古典文学作品中永恒的主题：善有善报，恶有恶报，不是不报，时候未到。这个主题在"三言二拍"的200篇小说中，占有很大比例，表达了劳动人民朴素而又美好的愿望。《红花场一案五命》，暴露了封建官吏贪婪丑恶的嘴脸。故事情节曲折，类似于现代的侦探小说。《五龄童巧计捉贼》讲述了五岁的小男孩南陔智擒窃贼的故事。他的聪明机警、沉着冷静，很值得小朋友们学习。

　　需要说明的是，话本或拟话本小说在正式开始讲故事以前，常常先讲一两个有关的小故事，这里为了紧凑的缘故，把它们都删除了。在选择文章时，照顾到小读者的欣赏需求，我们选取了26篇，把原来的古代白话改写为比较浅显的现代汉语，这些故事不但有趣，而且富有一定的教育意义，希望小读者们能喜欢它们。

读后感

读后感

读后感